Fast Track Your Spanish Learning With

Dual Language
First Spanish Reader

*Parallel Spanish-English
Short Stories
For Beginners*

A carefully selected collection
of entertaining Spanish stories and texts for
beginners: it is designed to fast track your
growing ability by providing enjoyable reading
material and a good range of vocabulary to be
absorbed comfortably by means of the dual
language method.

Edited and Translated by
Peter Oakfield

Riverbridge Books

This edition published in the United Kingdom by
Riverbridge Books.
192 Leckhampton Road, Cheltenham GL53 0AE U.K.

ISBN **978-0-9574932-9-2**

English translations, Introduction, and
Mastering Spanish with the method of Re-translation
Copyright © 2019 Peter Oakfield
ix

2

About the author: Peter Oakfield lives in the west of England and writes about memory and language learning and topics related to the Spanish language. His other books include:
-

How to learn - Spanish - French - German - Arabic - any foreign language successfully.

How to transform your Memory and Brain Power: a complete course for memory development, fast learning skills and speed-reading.

How I Learned to Speak Spanish Fluently In Three Months

Dual Language Spanish Reader. Level: Beginner to Intermediate Note: This book is based on similar principles to this First Spanish Reader, but it assumes that the student has reached beyond beginner and is designed to help the student to start progressing towards intermediate standard.

Spanish Verbs Wizard: Learn Spanish Verbs, Tenses, and Conjugations - Plus 101 Fully Conjugated Spanish Verbs - Plus The 1001 Most Useful Spanish Verbs.

Table of Contents   **Page No.**

5

Introduction

Fast track Spanish learning for the beginner.
This entertaining collection of 50 dual language -Spanish-English-stories and pieces, is suitable for anyone beginning to learn Spanish and it provides one of the best methods for you to begin mastering the Spanish language.

Regular use of this book will aid your fluency and help you to develop a wider vocabulary. Your concentration will be encouraged by the variety of the stories and the pleasure you will gain by reading them in Spanish and by seeing that you are rapidly making good progress. It is a book which will accelerate your Spanish learning.

Close English translations.
As with other books in the Riverbridge Dual Language Spanish-English series, the English translations are close literal translations; and the English reflects, as far as practical, the Spanish from which it is derived. Moreover you will find in some places an alternative, or an amplification, or some brief note alongside. The result is that you will benefit from English translations that stick closely to the Spanish, that do not mislead you, and that propel you comfortably towards your goal of understanding and speaking Spanish well.

The method of re-translation.
With the dual or parallel versions of the Spanish and the English, set out on pages facing one another, you can check either against the other easily, and this makes the book ideal for learning in a variety of ways and also by the recommended method of re-translation. By using this method, as well as enjoying the readings, you will discover how to interact with the Spanish and begin to respond to it naturally, intensively and intuitively. The re-translation method is explained in the final chapter: Mastering Spanish with the Method of Re-Translation.

Good luck and success with your study of Spanish and if you have any comments you are welcome to email me at p.oakfield.spanish@gmail.com   Peter Oakfield

1. Mil Euros

—Yo no sé qué hacer, —dijo Juan a su mujer.—Don Cándido me escribe pidiéndome mil euros, y ya sabes que no puedo rehusar darle el dinero.
—Puedes excusarte diciendo que no has recibido la carta, observó la esposa.
—Dices bien.
Y, en efecto, nuestro hombre tomó la pluma y escribió lo siguiente:
—Señor don Cándido: siento infinito no poder servirle; pero no he recibido la carta en que me pidió los mil euros que desea. Suyo, etc.

2. La Comida

Un individuo que venía a Madrid, entró en una posada a las doce del día y preguntó:
—¿Cuánto vale la comida?
—Diez euros.
—¿Y la cena?
—Ocho.
—Pues déme Vd. de cenar

3. Concepto Falso

Fué a matricularse en la antigua Universidad de Alcalá un estudiante de la Alcarria.
—¿Cómo se llama Vd.?—le preguntó el secretario.

—Juan Bautista Combé,—dijo el estudiante.
—¿Viene Vd. a enseñarme ortografía, señor novicio? ¿Cómo se llama Vd.? esto es lo que le pregunto.
—Bautista Combé...
—No sea Vd. impertinente; ya sé que Bautista se escribe con b. ¡Quiero saber el apellido!

1. A Thousand Euros

"I do not know what to do," said Juan to his wife, "Don Cándido writes to me asking me for a thousand euros, and indeed you know that I am not able to refuse to give him the money."

"You can excuse yourself saying that you have not received the letter," observed his spouse.

"Good idea (You say well)."

And in effect, our man took the pen and wrote the following:

' Señor don Cándido: I extremely sorry not to be able to be of use to you (to serve you); but I have not received the letter in which you asked me for the thousand euros that you desire/want. Yours, etc.'

2. The Lunch

A person/individual who came to Madrid, entered an inn at twelve o'clock during the day and asked:

"How much is the lunch?"

"Ten euros."

"And the supper?

"Eight."

"Well give me supper."

3.Wrong Idea/Concept

A student from Alcarria (mountainous area in eastern Spain) went to matriculate in the University of Alcalá.

"What is your name (what do you call yourself)?" the secretary asked him.

" Juan Bautista Combé" said the student.

"Are you coming to teach me orthography, Señor Novice? What is your name, that is what I am asking you?"

" Bautista Combé..."

"Don't be impertinent; I certainly know that Bautista is written with a b. I want to know the surname!"

4. Tres Palabras

Un obrero pobre llegó por la noche a una posada. Estaba muy cansado y tenía hambre y sed. Pero no tenía dinero. Sin dinero no pudo obtener nada. ¿Cómo obtener dinero para comer?

Se sentó a una mesa. A la mesa estaban sentados dos panaderos que comían y bebían. El obrero les contaba de sus viajes. Su cuento era muy interesante y ellos lo escuchaban atentamente. Finalmente él les dijo:

—- Propongo una apuesta. Diré tres palabras que Vds. no pueden repetir.

—Es absurdo,—contestaron los panaderos.—Vd. no puede hacerlo.

—¿Cuánto apuestan Vds.?—dijo el obrero.

—Un duro,—contestaron los panaderos.

El obrero empezó:—Popocatepetl.—Los panaderos repitieron:—Popocatepetl.—El obrero dijo:—mercader.—Los panaderos dijeron:—mercader.—Entonces dijo el obrero con una sonrisa:—error.

Los panaderos meditaron mucho, pero no pudieron hallar su error. El obrero dijo:

—Ensayemos de nuevo.

—Sí, cierto,—dijeron los panaderos.

El obrero empezó otra vez y dijo:—hipopótamo.—Los panaderos:—hipopótamo.—El obrero:—jirafa.—Los panaderos:—jirafa.

—Otra vez el obrero dijo con una sonrisa:—error.

Lo intentaron tres o cuatro veces. Después de la cuarta vez los panaderos pagaron el duro, pero preguntaron:

—¿Cuál ha sido nuestro error?

El obrero dijo:—Nunca han pronunciado Vds. la tercera palabra. La tercera palabra fué cada vez: error. Por eso Vds. han perdido la apuesta.

4. Three Words

A poor workman arrived by night at an inn. He was very tired and he was hungry and thirsty. But he had no money. Without money he was unable to obtain anything. How to obtain money in order to eat?

He sat at a table. At the table were seated two bakers, who were eating and drinking. The workman told them about his travels. His story was very interesting and they listened to it attentively. Finally he said to them:

"I propose a bet. I will say three words that you are not able to repeat."

"That is absurd" replied the bakers, "You are not able to do it."

"How much do you bet?" said the labourer.

"A duro." (old Spanish money) replied the bakers.

The workman began: "Popocatepetl." (a mountain in Mexico) The bakers repeated: "Popocatepetl." The labourer said: "merchant." The bakers said: "merchant." Then the workman said with a smile: "error."

The bakers meditated/considered a lot, but were unable to find their error. The workman said:

"Let us try again."

"Yes, certainly," said the bakers.

The labourer began once more and said: "hippopotamus." The bakers: "hippopotamus." The workman: "giraffe." The bakers: "giraffe."

Once more the workman said with a smile: "error."

They tried it three or four times. After the fourth time the bakers paid the duro, but they asked:

"What has been our error?"

The workman said: "You have never pronounced the third word. The third word was each time: error. For this you have lost the bet."

5. El Medico Tunante

Llegó un tunante a la ciudad de Zaragoza, diciendo que sabía raros secretos de medicina. Entre otras cosas dijo que podía remozar las viejas. Muchas viejas del pueblo creyeron sus palabras.

Llegaron pues un gran número de ellas a pedirle este precioso beneficio. Él les dijo:

—Es necesario que cada una escriba en una cédula su nombre y edad.

Había entre ellas mujeres de setenta, de ochenta, y de noventa años de edad. Todas hicieron exactamente como él les había dicho, porque no querían perder la dicha de remozarse. El tunante les dijo que volvieran a su posada al día siguiente.

Cuando volvieron él empezó a lamentarse y les dijo:

—Debo confesar la verdad. Una bruja me ha robado todas las cédulas. Era envidiosa de la buena suerte de Vds. Así es necesario que cada una vuelva a escribir su nombre y edad. También quiero decirles porqué es necesaria esta circunstancia. La mujer más vieja ha de ser quemada. Las otras han de tomar una porción de sus cenizas y así se remozarán.

Al oír esto se pasmaron las viejas, pero, todavía creyendo su promesa, hicieron nuevas cédulas. Pero todas tenían miedo de ser quemadas y no escribieron sus edades correctamente. Cada una se quitó muchos años.

La que tenía noventa, por ejemplo, escribió cincuenta; la de sesenta, treinta y cinco, etc.

Recibió el picarón las nuevas cédulas y luego sacó las del día anterior. Había dicho que las había perdido pero no era verdad. Comparó las nuevas cédulas con las otras y dijo:

—Ahora bien, señoras mías; ya tienen Vds. lo que les prometí; ya todas se han remozado. Vd. tenía ayer noventa años, ahora tiene cincuenta; Vd. ayer cincuenta, hoy treinta y cinco.

Hablando así las despachó a todas tan corridas como puede suponerse.

5. The Doctor Rogue

A rogue arrived at the city of Zaragoza, saying that he knew strange secrets of medicine. Among other things he said that he was able to rejuvenate old women. Many old women of the town believed his words.

So a great number of them arrived to ask him for this precious benefit. He said to them:

"It is necessary that each one should write on a slip-of-paper/document her name and age."

There were among them women of seventy, of eighty, and of ninety years of age. All did exactly as he had said to them, because they did not want to lose the happiness of being rejuvenated. The rogue said to them that they should return to his inn the next day.

When they returned he began to lament/complain, and said to them:

"I must confess the truth. A witch has robbed me of all the slips-of-paper. She was envious of your good luck. So it is necessary that each should again write her name and age. Also, I want to tell you, because this detail (circumstance) is necessary. The oldest woman has to be burned. The others have to take a portion of her ashes and so they will be rejuvenated."

On hearing this the old women were astounded, but, still believing his promise, they made new slips of paper. But all were afraid of being burnt and did not write their ages correctly. Each one took off many years.

The one that was ninety, for example, wrote fifty; the one of sixty, thirty-five, etc.

The rascal received the new slips and then took out those of the day before. He had said that he had lost them but it was not the truth. He compared the new slips with the others and said:

"Well now, my ladies; indeed, you have what I promised you; now all have been rejuvenated. You had yesterday ninety years, now you have fifty; you, yesterday fifty, now thirty-five."

Speaking thus he sent them all away as fast as can be supposed.

6. El Príncipe Y La Araña

Por donde menos se piensa, salta la liebre,

Un príncipe que había perdido una batalla, logró escaparse en compañía de un fiel servidor. Estaban debilitados por la fatiga y sufrían hambre y sed; pero no se atrevían a entrar en ninguna casa, temerosos de ser descubiertos y alcanzados por el enemigo.

Al anochecer llegaron a una montaña donde había una cueva. —Vamos a escondernos aquí—dijo el criado.—Tal vez así pierdan la pista nuestros perseguidores, y logremos ponernos en salvo.

—Creo más bien que el odio los hará astutos, y que darán con nosotros en donde quiera que estemos—dijo el príncipe.

—¡Dios nos protegerá!—repuso el criado.

Y entraron en la cueva los dos, penetrando todo lo posible. Por la mañana oyeron pasos en las proximidades de su escondite. Un grupo de hombres armados se aproximó a la entrada de la cueva.

—Busquemos aquí—dijo uno de ellos disponiéndose a entrar.

—Es inútil—dijo otro. Ahí no ha entrado nadie.

—¿Cómo lo sabes?

—Hombre, ¿no tienes ojos?—preguntó a su vez el otro. ¿No ves en la entrada una gran telaraña, que la cubre de un lado a otro? ¿Por dónde habían de entrar?

Miraron todos la entrada, y vieron que había, en efecto, una telaraña que llegaba de un lado a otro del agujero.

—Es verdad—dijo el que hacía de jefe.

Y continuaron su camino.

El príncipe y su criado se miraron con asombro. Aquello parecía un milagro. Estaban con vida, y se la debían a una araña que durante la noche había trabajado en construir aquella cortina salvadora. —¡Hé aquí una araña providencial!—dijo el príncipe.— Sin ella, estaríamos a estas horas en poder de los enemigos.

6. The Prince And The Spider

From where it is least thought jumps the hare.

A prince who had lost a battle, managed to escape in the company of a faithful servant. They were weakened by fatigue and they suffered from hunger and thirst; but they did not dare to enter any house, fearful of being discovered and reached by the enemy.

At nightfall they arrived at a mountain where there was a cave. "We are going to hide here" said the servant. "Perhaps in this way our pursuers may lose the trail and we may manage to put ourselves in safety."

"I believe rather that hatred will make them astute/cunning, and they will come upon us wherever we may be." said the prince.

"God will protect us!" answered the servant.

And the two entered into the cave, penetrating/going in as much as possible. In the morning, they heard steps in the vicinity of their hiding-place. A group of armed men approached the entrance of the cave.

"We search here" said one of them making ready to enter.

"It is useless" said another. "No-one has entered there."

"How do you know?"

"Man, have you no eyes?" the other asked in his turn. "Do you not see in the entrance a big spiders-web that covers it from one side to the other? Through where had they to enter?"

All looked at the entrance, and saw that there was, indeed a spiders-web that went from one side to the other of the hole.

"It is true." said the one who acted as chief.

And they continued on their way.

The prince and his servant looked at each other with astonishment. That seemed to be a miracle. They were alive, and they owed it to the spider that during the night had worked to construct that saving curtain. "Behold a providential spider!" said the prince. "Without it we would be at this hour in the power of the enemy."

7. Un Cuento De Un Perro

La rueda de un coche hirió la pata de un hermoso perro de San Bernardo. Iba éste hacia su casa cojo y dolorido, y al verlo pasar un herrero, le dió lástima. Lo llamó, le lavó la herida, puso en ella unas gotas de bálsamo y la vendó cuidadosamente.

El perro siguió haciendo visitas diarias al herrero; éste lo siguió curando y al cabo de una semana el perro estaba curado por completo. No se olvidó por eso de su bienhechor, a cuyo taller acudía con frecuencia, para mostrarle su agradecimiento.

Habían pasado algunos meses cuando una mañana encontró el herrero en la puerta de la herrería dos perros. Uno de ellos era su antiguo amigo, el de San Bernardo, y el otro un galgo que tenía la pata herida y llena de sangre.

El herrero quedó asombrado de aquel rasgo de inteligencia y de nobleza de sentimientos en un animal, y se puso a curar al galgo. El de San Bernardo hizo entonces grandes demostraciones de agradecimiento y de cariño, mientras el herrero, llorando de gozo, le decía:

—Hiciste bien, y te lo agradezco. Sabías que podías contar con tu antiguo amigo, y no sólo has favorecido a este perro, sino que me has dado una mañana feliz.

8. El Regalo

—Tiene Vd. un hermoso paraguas.
—Sí, es un regalo.
—¡De veras! y ¿de quién?
—No lo sé; pero dice en el mango,
"Presentado a Juan Pérez."

7. A Story Of A Dog

The wheel of a car wounded the paw of a beautiful Saint Bernard dog. It went towards its house lame and in pain, and upon a blacksmith seeing it pass by, it inspired (gave) pity in him. He called it, he washed the wound, put on it some drops of balsam, and bandaged it carefully.

The dog continued making daily visits to the blacksmith; the latter continued treating it and at the end of a week the dog was cured completely. It did not for this forget his benefactor, to whose workshop it came frequently, in order to show him its gratitude.

Some months had passed when one morning the blacksmith found two dogs at the door of the forge. One of them was his old friend, the Saint Bernard, and the other a greyhound that had its paw hurt and full of blood.

The blacksmith was left astonished by that appearance/feature of intelligence and of nobility of feelings in an animal, and he set himself to cure the greyhound. The Saint Bernard then gave great signs of gratitude and of affection, whilst the blacksmith crying with joy, said to it:

"You did well, and I thank you for it. You knew that you were able to count on your old friend, and not only have you befriended/favoured this dog, but you have given me a happy morning.

8. The Gift

"You have a beautiful umbrella."
"Yes, it is a gift."
"Really! And from whom?"
"I don't know; but it says on the handle,
'Presented to Juan Pérez.' "

9. El Estudiante de Salamanca

Un estudiante volvía desde Salamanca para su tierra después de haber concluido su curso. Llevaba poco dinero, y así en todas las posadas ajustaba su bolsa con la huéspeda, para que no se le acabase antes de concluir su viaje. La economía de que usaba era suma. Sucedió que iba a pasar la noche en una posada donde la huéspeda era mujer de lindo entendimiento, lindo modo y mucho agrado. Ella le preguntó qué quería cenar. Respondió que quería un par de huevos.

—¿Nada más, señor licenciado?—dijo la huéspeda. El estudiante contestó:—Me basta, pues yo ceno poco.

Le trajeron los huevos. Mientras comía, la huéspeda le propuso unas truchas muy buenas que tenía. El estudiante resistía a la tentación.

—Mire Vd., señor licenciado,—dijo ella—que son excelentísimas, porque tienen las tres efes.

—¿Qué quiere decir eso, las tres efes?

—¿Pues no sabe Vd. que las truchas han de tener las tres efes para ser magníficas?

—Nunca he oído tal cosa,—repuso el estudiante—y quisiera saber qué tres efes son ésas. ¿Qué significa este enigma?

—Yo se lo diré, señor,—respondió la huéspeda.—Quiere decir, que las truchas más sabrosas son las que tienen las tres circunstancias de Frescas, Frías, y Fritas.

A esto replicó el estudiante:—Ahora comprendo. Pero, señora, si las truchas no tienen otra efe más, no sirven nada para mí.

—¿Qué otra efe más es ésa?

—Señora, que sean Fiadas; porque en mi bolsa no hay con que pagarlas por ahora.

La agudeza del estudiante agradó tanto a la huéspeda, que no sólo le presentó las truchas graciosamente, sino también le llenó la alforja para lo que le restaba de camino.

9. The Student From Salamanca

A student was returning from Salamanca to his home region (lit: land/earth) after having finished his course. He carried little money, and so in all the inns he arranged his purse (i.e. his spending) with the landlady, in order that it should not be used up before concluding his journey. The economy that he used was extreme. It happened that he went to pass the night in an inn where the landlady was a woman of fine understanding, a pretty manner and much charm. She asked him what he wanted for supper. He replied that he wanted a couple/pair of eggs.

"Nothing more, Señor Graduate?" said the landlady. The student answered: "It is enough for me, for I dine on little."

They brought him the eggs. Whilst he ate, the landlady suggested to him some very good trout that she had. The student resisted the temptation.

"Look, Señor Graduate," she said, "they are really excellent because they have the three fs."

"What does that mean, the three fs?"

"Well do you not know that the trout have to have the three fs in order to be magnificent?"

"I have never heard of such a thing," replied the student, "and I should like to know what three fs are these. What does this puzzle mean?"

"I will tell you it, Señor," replied the landlady. "It means that the most tasty trout are those that have the three qualities of Fresh, Cold, and Fried."

To this the student replied: "Now I understand. But Señora, if the trout do not have another f more, they do not do (serve) anything for me."

"What other f more is this?"

"Señora, that they should be on trust; because in my purse there is nothing with which to pay for them now."

The sharp-wit of the student so pleased the landlady, that not only did she present him with the trout free, but also, she filled his knapsack for what remained to him of the journey/road.

10. El Competidor

Un día a eso de las seis de la tarde llegó a una posada un hombre. Se sentó y demandó:

—¿Puedo obtener que comer por mi dinero?

El posadero, hombre muy cortés y oficioso, replicó con una reverencia profunda:

—Sin duda, señor; mande Vd. lo que desee, y contentaré a Vd.

Y a la verdad, no era mala la cena. Mientras comía con mucho gusto, el posadero preguntó al huésped:

—¿Acaso le gustará a Vd. una botella de vino?

—Me conviene si puedo obtener algo bueno por mi dinero,—contestó el hombre. Concluida la cena, sirvió el café el posadero y demandó otra vez:

—¿Sin duda le gustará a Vd. un excelente tabaco?

—A mí me gusta todo, si puedo obtener algo bueno por mi dinero,—fué la contestación. Al fin el posadero presentó la cuenta que ascendió a veintecinco euros. Sin examinarla ni mirarla el hombre entregó al posadero un euro. Éste lo rechazó, preguntando con cólera:

—¿Qué quiere decir esto? Vd. ha ordenado las mejores cosas. Vale veinte euros la cena, cuatro euros el vino y otro euro los tabacos.

—Yo no he mandado nada,—repuso el hombre.—He pedido que comer por mi dinero, y esta pieza es todo el dinero que tengo.

Estaba el posadero para ponerse muy colérico, cuando se le ocurrió una buena idea.

—Amigo,—dijo con una sonrisa muy fina,—ya no hablaremos más de eso. No me pagará Vd. nada. Le presento a Vd. la cena, el vino y los tabacos. Además, tome Vd. este billete de diez euros, si quiere hacerme un gran favor. Dos calles más arriba está la posada del León de Oro, cuyo amo es mi competidor. Vaya Vd. al León de Oro, y haga la misma calaverada.

10. The Rival/Competitor

One day at about six o'clock in the evening a man arrived at an inn. He sat down and demanded:

"Am I able to obtain (something) to eat for my money?"

The innkeeper, a man very courteous and officious, replied with a deep bow:

"Without doubt, sir; order what you may desire, and I will satisfy you."

And truly, the supper was not bad. While he was eating with much pleasure, the innkeeper asked the guest:

"Perhaps a bottle of wine will please you (perhaps you would like)?"

"It suits me if I can obtain something good for my money," replied the man. The supper finished, the innkeeper served the coffee and demanded/asked again:

"Without doubt an excellent tobacco will please you?'

"Everything pleases me, if I am able to obtain something good for my money," was the answer. At last the innkeeper presented the account which amounted to twenty-five euros. Without examining it or looking at it the man handed to the innkeeper one euro. He rejected, it asking with anger:

"What does this mean? (want to say) You have ordered the best things. The supper is worth twenty euros, four euros the wine and another euro the tobaccos."

"I have not ordered anything," replied the man. "I have asked for something to eat for my money, and this piece is all the money that I have."

The innkeeper was about to become very angry, when a good idea occurred to him.

"Friend" he said with a very fine/sharp smile, "Indeed we will not speak more of this. You will not pay me anything. I present to you the meal, the wine and the tobaccos. Moreover, take this note for ten euros, if you want to do me a big favour. Two streets further up is the inn of the Lion of Gold. Go to the Lion of Gold, and do the same stunt/escapade."

21

Tomó el dinero, se lo metió en el bolsillo y se despidió el huésped. Llegado a la puerta, se volvió y dijo con burla mal disimulada:

—Muchas gracias y buenas noches. Pero es su competidor de Vd. quien me ha hecho venir aquí.

11. Un Conserje Exacto

Una señora dió orden un día al conserje:
—Di a todas personas que no estoy en casa.

Por la noche, al referirle el conserje los nombres de las personas que habían estado a la puerta, pronunció el de la hermana de la señora, y entonces la señora dijo:

—Ya te he dicho que para mi hermana siempre estoy en casa, hombre; debiste haberla dejado entrar.

Al día siguiente salió la señora a hacer unas visitas, y poco después llega su hermana.

—¿Está tu señora en casa?—le pregunta al conserje.

—Sí, señora,—contesta éste.

Sube la señora, y busca en balde por todas partes a su hermana. Vuelve a bajar, y le dice al conserje:

—Mi hermana debe de haber salido, porque no la he hallado.

—Sí, señora, ha salido, pero me dijo anoche que para Vd. siempre estaba en casa.

12. El Muchacho Inteligente

Un muchacho era muy hermoso e inteligente. Mirándole un caballero dijo: —¡Cosa rara! ¡que todos los muchachos hermosos que son inteligentes cuando pequeños son grandes necios cuando son adultos!

El muchacho dijo entonces: —¡Muy inteligente debe haber sido Vd. cuando muchacho!

The guest took the money, put it in his pocket and took his leave. Arrived at the door, he turned and said with ill-disguised mockery:

"Many thanks and good night. But it is your competitor/rival who has made me come here."

11. An Accurate Concierge/Doorman

One day a lady gave an order to the concierge/doorman:

"Tell everybody that I am not at home (lit: in house)."

At night, on the concierge relating to her the names of the persons who had been at the door, he mentioned/pronounced that of the sister of the lady, and then the lady said:

"But I have told you that for my sister I am always at home, man; you ought to have let her enter."

On the next day the lady went out to make some visits, and a little afterwards her sister arrives.

"Is your mistress at home?" she asks the concierge.

"Yes, madam," he answers.

The lady goes up (stairs), and looks everywhere in vain for her sister. She goes down again, and says to the concierge:

"My sister must have gone out, because I have not found her."

"Yes, madam, she has gone out, but she told me last night that for you she was always at home."

12. The Intelligent Boy

A boy was very handsome and intelligent. Looking at him a gentleman said: "A strange thing, that all the handsome boys that are intelligent when small, are big fools when they are adults!"

The boy said then: "Very intelligent you must have been when a boy!"

13. El Testamento

Cierto lugareño estaba a punto de morir. No era muy rico. Sólo tenía un perro y un caballo. No tenía hijos pero tenía una mujer.

Poco antes de morir, llamó a su mujer y le dijo:

—Ya sabes que voy a morir. No te he olvidado en mi testamento; pero no soy rico y no tengo más bienes que un perro y un caballo.

—Yo apreciaré tu recuerdo, marido mío,—dijo la mujer llorando.

—Después de mi muerte,—continuó el marido,—debes vender el caballo y entregar el dinero a mis parientes.

—¡Cómo! ¿debo entregar el dinero a tus parientes?

—Sí; pero espera. Te regalo generosamente el perro. Puedes venderlo, si quieres, o puedes conservarlo para guardar la casa. Es un animal fiel. Te servirá de gran consuelo.

El lugareño se murió. La mujer quería obedecer a su marido. Una mañana cogió el caballo y el perro y los llevó a la feria.

—¿Cuánto quiere Vd. por ese caballo? preguntó un hombre.

—Quiero vender el caballo y el perro juntos,—respondió la mujer.—Quiero por el perro quinientos euros y por el caballo diez euros.

—Acepto,—dijo el hombre,—porque el precio de los dos juntos es razonable.

La buena mujer dió a los parientes de su marido los diez euros que recibió por el caballo y conservó los quinientos euros que recibió por el perro. Así obedeció a su marido.

13. The Will

A certain villager was at the point of dying. He was not very rich. He only had a dog and a horse. He did not have children but he had a wife.

A little before dying, he called his wife and he said to her:

"You know now that I am going to die. I have not forgotten you in my will; but I am not rich and I do not have more property than a dog and a horse."

"I will value your memory, my husband," said the woman crying.

"After my death," continued the husband, "you must the sell the horse and deliver the money to my relations."

"What! I must deliver the money to your relations?"

"Yes; but wait. I generously give you the dog. You can sell it, if you want, or you are able to keep it in order to guard the house. It is a faithful animal. It will serve you as a great consolation/comfort."

The villager died. The wife wanted to obey her husband. One morning she gathered up the horse and the dog and took them to the fair.

"How much do you want for that horse?" asked a man.

"I want to sell the horse and the dog together," replied the woman. "I want for the dog five hundred euros and for the horse ten euros."

"I accept," said the man, "because the price of the two together is reasonable."

The good woman gave to the relations of her husband the ten euros that she received for the horse and kept the five hundred euros that she received for the dog. Thus, she obeyed her husband.

14. Economía Práctica

Hay personas que cifran todo su orgullo en comprar barato, como le sucede á un tío mío, hombre muy nervioso y algo irascible, que se va á un establecimiento de paños y empieza por pedir una silla y sentarse cómodamente.

—Sáqueme usted tela para un gabán—dice con aire de hombre superior.—Quiero que sea buena, ¿sabe usted?

El dependiente coloca sobre el mostrador seis ó siete piezas de paño. Mi tío desde su asiento examina el género, lo frota, lo mira al trasluz, lo estira, lo encoge, lo acerca á la nariz, se lo pasa por los párpados para ver si es suave, y, por último, pregunta:

—¿Á cómo?

—Á diez euros.

Mi tío se levanta, hace un gesto de desdén y se finge que va á tomar la puerta, no sin decir:

—Vaya, vaya; veo que no quiere usted vender.

—Pero venga usted acá y nos arreglaremos.

Mi tío se acerca al mostrador, coge al dependiente por la muñeca, le aproxima los labios al oído y le dice á media voz:

—¿Quiere usted tres euros?

—¿Está usted loco? ¡Tres euros por un género como éste!

Se enoja el dependiente; mi tío le contesta una barbaridad; chillan ambos, interviene el dueño de la tienda, y mi tío dice por último, con voz alterada:

—¿Quiere usted cinco euros? No doy un céntimo más.

El caso es que mi tío sale de allí con la tela después de conseguir que le rebajen un euro en cada vara; y cuando está hecho el gabán, pregunta á los amigos:

¿Cuánto cree usted que me ha costado esta prenda?

—Cien euros—dice uno.

14. Practical Economy

There are people who place/centre all their pride in buying cheap, as happens to an uncle of mine, a man very nervous and somewhat irascible, who goes to a cloth shop/establishment and begins by asking for a chair and sitting down comfortably.

"Bring me out cloth for an overcoat" he says with the air of a superior man. "I want it to be good, you know?"

The employee places upon the counter six or seven pieces of cloth. My uncle from his seat examines the material, he rubs it, he looks at it against the light, he stretches it, he shrinks it (screws it up) he brings it up to the nose, he passes it over his eyelids in order to see if it is soft, and, finally, he asks:

"How much?"

"Ten euros."

My uncle gets up, makes a gesture of disdain, and pretends that he is going to take the door, not without saying:

"Come on; I see that you do not want to sell."

"But come here and we will arrange things... (reach an understanding)"

My uncle approaches the counter, takes the employee by the wrist, brings his lips close to his ear and says to him in a low voice:

"Do you want three euros?"

"Are you mad? three euros for a cloth like this!"

The employee becomes angry; my uncle replies to him with an unpleasant expression; both shriek, the owner of the shop intervenes, and my uncle says at last, with an altered voice:

"Do you want five euros: I do not give a céntimo more."

The fact is that my uncle leaves there with the cloth, after managing that they should take off (reduce/lower) for him one euro for each yard; and when the overcoat is ready/made, he asks his friends:

"How much do you believe that this garment has cost me?"

"One hundred euros" says one.

—Usted los hubiera pagado seguramente, ¡pero yo!...
Límpiese usted los ojos para ver este gabán, y ahora sepan ustedes
que con tela, forros, botones y hechura, me ha costado.... treinta
euros.

¿Puede dudarse de que mi tío compra barato en Madrid?

Pues ¿y D. Sinforoso, mi compañero de oficina?

Hace pocos días tuvo que comprar una jaula para un
jilguero que le enviaron de Cuzcurrita, su tierra natal, y se fué á la
plaza de Santa Ana.

—¿Á cómo son estas jaulitas?

—Á cinco euros.

—¡Hombre! No diga usted disparates. ¿Quiere usted dos
euros?

—No, señor; es precio fijo.

El pajarero volvió las espaldas; se puso á dar de comer á
un loro que está delicado y no come con su propio pico.

—Oiga usted—gritó D. Sinforoso desde la puerta.—¿No
quiere usted vender?

—Sí, señor; pero no puedo perder el tiempo.

—Vamos, póngase usted en razón. ¿Quiere usted los dos
euros?

—He dicho que no.

—¿Tres euros?

Nueva retirada del pajarero.

Y viendo D. Sinforoso que el pajarero se sentaba en una
silla para alimentar al loro con más comodidad, él se sentó
también á la entrada de la tienda, y allí se estuvo cerca de una
hora, diciendo de vez en cuando:

—Conque ya lo sabe usted: tres euros.

El pajarero comenzó á perder la paciencia, y acabó por
vender la jaula en los tres euros ofrecidos, dando un empujón á
D. Sinforoso y poniéndole de patitas en la calle.

"You would have paid them surely, but I! ... Clear your eyes in order to see this overcoat, and now know that with cloth, lining, buttons and making up, it has cost me...thirty euros."

Are you able to doubt that my uncle buys cheap in Madrid?

Well, and Don Sinforoso, my office companion?
A few days ago he had to buy a cage for a goldfinch that they sent him from Cuzcurrita (town in northern Spain), his home region/land, and he went to the Plaza Santa Ana.
"How much are these little cages?"
"Five euros."
"Man! Don't talk nonsense. Do you want two euros?"

"No, señor, it is a fixed price."
The bird-seller turned his back; he set himself to feed a parrot that is delicate and does not eat with its own beak.
"Listen you" shouted Don Sinforoso from the door. "Do you want to sell?"
"Yes, señor; but I am not able to waste time."
"Come on, be reasonable. Do you want the two euros?"

"I have said no."
"Three euros?"
A further withdrawal of the bird seller.
And Don Sinforoso, seeing that bird seller was sitting on a chair in order to feed the parrot with more comfort, he also sat at the entrance to the shop, and there he was nearly an hour, saying from time to time:
"So that now you know it: three euros."
The bird seller began to lose patience, and finished by selling the cage for the three euros offered, giving Don Sinforoso a shove, and putting/kicking him out into the street. (patitas= little paws)

15. El Barbero De La Coruña

Un día llegó a una fonda de la Coruña un forastero de gran talle, corpulento y fuerte, con centellantes ojos negros y rostro cubierto de larga y espesa barba. Su vestido negro añadía algo de siniestro a su apariencia.

—¡Posadero!—gritó en voz alta,—tengo mucha hambre y me estoy muriendo de sed. Tráigame algo que comer y una botella de vino. ¡Pronto!

El posadero, medio espantado, corrió a la cocina, y pocos minutos después sirvió una buena comida y una botella de vino al extranjero. Este se sentó a la mesa y comió y bebió con tanto gusto que en menos de diez minutos había devorado todo.

Una vez terminada su comida, preguntó al posadero:—¿Hay en este pueblo un buen barbero que pueda afeitarme?

—Ciertamente, señor,—contestó el posadero, y llamó al barbero que vivía no lejos de la fonda.

Con su estuche en una mano y el sombrero en la otra, entró el barbero, y haciendo una profunda reverencia preguntó:—¿En qué puedo servir a Vd., señor?

—Aféiteme Vd.,—gritó el forastero con voz de trueno.— Pero le advierto que tengo la piel muy delicada. Si no me corta, le pagaré, pero si me corta le mataré sin piedad. Ya he matado más de un barbero por esa causa; ¡con que, tenga cuidado!—añadió por vía de explicación.

El pobre barbero que se había espantado al oír la aterradora voz de su cliente, ahora temblaba como la hoja de un árbol agitada por el viento otoñal.

El terrible hombre había sacado del bolsillo de su abrigo un grande y afilado cuchillo y lo había puesto sobre la mesa. Era muy claro que la cosa no era para bromas.

—Perdone Vd., señor,—dijo el barbero con voz trémula,— yo soy viejo y me tiembla la mano un poco, pero voy a enviar a Vd. a mi ayudante, que es joven. Puede Vd. fiarse de su habilidad.

15. The Barber Of Coruña

One day a stranger of large figure, corpulent/fat and strong, with flashing black eyes and face covered with a long and thick beard, arrived at an inn in Coruña (a city and province in north-western Spain). His black dress added something sinister to his appearance.

"Innkeeper!" he cried in a loud voice, "I am very hungry and I am dying of thirst. Bring me something to eat and a bottle of wine. Quickly!"

The innkeeper, half frightened, ran to the kitchen, and a few minutes afterwards served a good meal and a bottle of wine to the stranger. The latter sat down at the table and ate and drank with such pleasure that in less than ten minutes he had devoured everything.

With his meal finished, he asked the innkeeper: "Is there in this town a good barber who can shave me?"

"Certainly, sir," replied the innkeeper, and called the barber who lived not far from the inn.

With his instrument-bag in one hand and his hat in the other, the barber entered, and making a deep bow asked: "In what can I serve you, sir?"

"Shave me," shouted the stranger with voice of thunder. "But I warn you that I have my skin very delicate. If you do not cut me, I will pay you, but if you cut me I will kill you without pity. I have already killed more than one barber for this reason; therefore, take care!" he added by way of explanation.

The poor barber who had taken fright on hearing the terrifying voice of his client, now trembled like the leaf of a tree shaken by the autumnal wind.

The terrible man had taken out of the pocket of his overcoat a large and sharp knife and had put it upon the table. It was very clear that the matter was not one for jokes.

"Forgive me sir," said the barber with trembling voice, "I am old and my hand trembles a little, but I am going to send to you my assistant, who is young. You can trust/rely upon his skill."

Diciendo esto, salió casi corriendo de la fonda. Cuando estuvo fuera, dando gracias a Dios de haber escapado, decía para sí:—Ese hombre es malo como un demonio; no quiero tener negocios con él. Tengo una esposa y ocho niños y debo pensar en ellos. Es mejor que venga mi ayudante.

A los diez minutos se presentó el ayudante en la fonda.— Mi maestro me ordenó que viniera aquí para...

—Sí, su maestro dice que es Vd. un hombre hábil y espero que tenga razón,—le interrumpió el forastero con voz ronca.—Le advierto que tengo la piel muy delicada. Si me afeita sin cortarme le pagaré, pero si me corta, le mataré con este cuchillo tan cierto como mi barba es negra.

Al oír esto el ayudante palideció un poco, pero recobrando el ánimo replicó:—Ciertamente, señor, soy muy hábil y tengo una mano muy segura. Tendría mucho gusto en afeitarlo, pero Vd. tiene una barba muy espesa y necesito una navaja muy afilada. Desgraciadamente no tengo ninguna en mi estuche ahora, pero afortunadamente el aprendiz afiló sus navajas esta misma mañana. Le voy hacer venir al instante.

Con esto escapó precipitadamente diciendo para sí:— ¡Cáspita! ¡Ese barbón se parece al mismísimo diablo! Lo que es a mí, no me mata. Que vaya el aprendiz, que es joven. Aquí tiene una buena ocasión de aprender algo.

Por fin vino el aprendiz. Era un muchacho de unos diez y seis años, con ojos vivos y cara inteligente.

—¡Ola!—gritó el forastero, soltando una carcajada que hizo retemblar las paredes.

—¿Te atreves tú a afeitarme? Pues bien, muchacho. ¡Mira! Aquí tienes esta pieza de oro y este cuchillo. La moneda de oro será tuya si me afeitas sin cortarme; pero como eso no es muy fácil, porque tengo la piel muy delicada, te advierto que si me cortas te mataré con este cuchillo.

Y miró al pobre aprendiz con unos ojos que parecían salir chispas centellantes.

Mientras tanto, el muchacho reflexionaba de esta manera:—¡Moneda de oro! Eso es más de lo que gano en seis meses.

Saying this, he left almost running from the inn. When he was outside, giving thanks to God for having escaped, he said to himself: "That man is evil like a demon; I do not want to have business with him. I have a wife and eight children and I ought to think of them. It is better that my assistant should come."

After ten minutes the assistant presented himself at the inn. "My master ordered me to come here for......."

"Yes, your master says that you are a skilful man and I hope that he may be right." the stranger interrupted him with a rough voice. "I warn you that I have my skin very delicate. If you shave me without cutting me I will pay you, but if you cut me, I will kill you with this knife as surely as my beard is black."

On hearing this the assistant paled a little, but recovering his spirits he replied: "Certainly, sir, I am very skilful and I have a very steady hand. I would have much pleasure in shaving you, but you have a very thick beard, and I need a very sharp razor. Unfortunately, I do not have any in my instrument bag now, but fortunately the apprentice sharpened his razors this very morning. I am going to make him come at once."

With this he escaped hastily saying to himself: "My goodness! That bearded fellow resembles the very devil! As for me, he is not going to kill me. The apprentice should go, he is young. Here he has a good opportunity to learn something."

At last the apprentice arrived. He was a boy of some sixteen years (of age), with lively eyes and intelligent face.

"Hello!" shouted the stranger, letting loose a loud-laugh that made the walls shake.

"You dare to shave me? Very well, boy. Look! Here you have this piece of gold and this knife. The gold money will be yours if you shave me without cutting me; but as that is not very easy, because I have very delicate skin, I warn you that if you cut me I will kill you with this knife."

And he looked at the poor apprentice with eyes that seemed to give out flashing sparks.

In the meantime, the boy reflected in this way: 'Gold money! That is more than what I earn in six months.

Con esa suma me puedo comprar un traje nuevo para la feria y, además, un nuevo estuche. Con que me voy a atrever. Si este bruto mueve el rostro y lo corto, ya sé lo que debo hacer.

Con gran calma saca todo lo necesario de su estuche; sienta al forastero en una silla, y sin el menor miedo pero con mucho cuidado termina el muchacho felizmente la operación.

—Aquí tienes tu dinero,—dijo el terrible matasiete.— ¡Chispas, niño! tú tienes más valor que tu maestro y su asistente, y a la verdad mereces el oro. Pero dime: ¿no tenías miedo?

—¿Miedo? ¿Por qué? Vd. estaba enteramente en mi poder. Tenía yo las manos y mi más afilada navaja en la garganta de Vd. Supongamos que Vd. se mueve y yo le corto. Vd. intenta asir el cuchillo para matarme. Yo lo impido y con una sola tajada lo deguello. Eso es todo. ¿Entiende Vd. ahora?
Esta vez fue el forastero el que se puso pálido.

16. ¿Qué Dice David?

Un obispo tenía un criado vizcaíno. Le dijo una vez: —Vaya Vd. al carnicero que se llama David y compre al fiado carne para mañana. Después de haber comprado Vd. la carne vaya Vd. a la iglesia, por ser domingo.
Predicando en la iglesia el obispo citaba autoridades de profetas en el sermón, diciendo: —Dice Isaías profeta...; dice Jeremías profeta...; —y mirando entonces hacia donde estaba su criado, dijo con énfasis, prosiguiendo su sermón: —Pero, ¿qué dice David?
El vizcaíno, su criado, pensando que a él le hablaba el obispo, respondió muy alto: —David dice: 'No daré carne al obispo si primero no paga.'

With this sum I am able to buy myself a new suit for the fair and, moreover a new instrument bag. Therefore I am going to dare. If this brute moves his face and I cut it, indeed I know what I must do.'

With great calm he takes from his instrument bag everything necessary; he seats the stranger on a chair, and without the least fear but with much care the boy finishes the operation happily/without mishap.

"Here you have your money," said the terrible bully. "Sparks (an expression such as 'thunder and lightning) child! You have more courage than your master and his assistant, and truly you deserve the gold. But tell me: were you not frightened?"

"Fear? Why? You were entirely in my power. I had my hands and the sharpest razor on your throat. Let us suppose that you move and that I cut you. You attempt to grasp the knife in order to kill me. I prevent you and with a single slice I behead you. That is all. Do you understand now?"

This time the stranger was the one who turned pale.

16. What Says David?

A bishop had a Biscayan (i.e. from Biscay) servant. He said to him on one occasion: "Go to the butcher who is called David and buy meat on credit/trust for tomorrow. After having bought the meat go to the church, for it is Sunday."

Preaching in the church the bishop quoted authorities from the prophets in the sermon, saying: "The prophet Isaiah says....; the prophet Jeremiah says....; and looking then towards where his servant was, he said with emphasis, proceeding with his sermon: "But what says David?"

The Biscayan, his servant, thinking that the bishop was talking to him, replied very loudly: "David says: I will not give meat to the bishop if he does not pay first."

17. Pescador De Caña

Sentado á la sombra en la orilla del río, cubierta la cabeza con un sombrero de paja de anchas alas, ya bastante moreno por el uso, las piernas colgando, la caña de pescar tendida casi horizontalmente á poca altura del agua, el bueno de Chaviri se pasaba las horas muertas, esperando que algún pez picase en su anzuelo.

Los chicos del pueblo, al pasar por allí, solían gritarle:

—¡Pescador de caña, más pierde que gana!

Y no siempre eran los chicos los que se burlaban de él, sino á veces los grandes, preguntándole en tono de zumba:

—¿Pican? ¿Pican?

Chaviri miraba á unos y á otros con sonrisa desdeñosa, ó se encogía de hombros sin mirar siquiera, y, atento á su caña, seguía esperando la pesca con paciencia ejemplar.

Antes de hacerse Chaviri pescador de caña, había intentado hallar la fortuna por diversos caminos. Hombre de imaginación viva y fecunda, tuvo en varias ocasiones muy luminosas ideas; pero, al ir á realizarlas, fué tan desgraciado que siempre se le adelantó alguno en las empresas por él concebidas.

Lo que no acababa de comprender nunca, en medio del desaliento que en él producían sus continuos chascos, era cómo á Pérez, y á Martínez, y á González, no les había pasado lo mismo al establecerse, habiendo podido llegar los tres á reunir millones.

Anduvo caviloso algún tiempo, y observaron todos un gran cambio en el carácter de Chaviri. Lo vieron dar paseos solitarios y ausentarse del pueblo largas horas.

Ya no era, como antes, franco y expansivo, sino silencioso y reservado.

Y como tenía fama de ambicioso y de hombre tenaz que no se rinde fácilmente á las contrariedades, todos se dijeron al verle ir y venir:

¡Algo nuevo trae en su cabeza Chaviri!

17. Fisherman With Rod

Seated in the shade on the bank of the river, his head covered with a hat of straw, with broad brims, now rather brown through use, his legs dangling, the fishing rod stretched out almost horizontally at a short height from the water, the good Chaviri passed the dead (i.e. idle) hours hoping that some fish might bite on his hook.

The boys of the village, on passing by there, used to shout to him:

"Fisherman with rod, loses more than gains/earns"

And the boys were not always those who mocked him, but at times the grown-ups, asking him in a teasing tone:

"Are they biting? Are they biting?"

Chaviri looked at one and all with a disdainful smile, or he shrugged his shoulders without even looking, and attentive to his rod, continued awaiting the catch of fish with exemplary patience.

Before making himself a fisherman with a rod, Chaviri had tried to find his fortune by different ways. A man of lively and fertile imagination, he had on various occasions very bright ideas; but on going to realise/accomplish them, he was so unfortunate that someone always got ahead of him in the enterprises conceived by him.

What he did not finish by understanding ever, in the middle of the discouragement that his continuous disappointments produced in him, was how the same had not happened, on establishing themselves, to Pérez, and to Martínez, and to González, having been able the three, to gather up millions.

He went on brooding some time, and all observed a great change in the character of Chaviri. They saw him take solitary walks and to absent himself from the village for long hours.

No longer was he, as before, frank and extravert/sociable but silent and reserved.

And as he had the reputation of an ambitious and tenacious man who does not surrender easily to setbacks, all said to themselves on seeing him go and come:

"Chaviri is carrying on something new in his head."

37

Así es que, cuando se supo que después de tantas cavilaciones se había hecho pescador de caña, no hubo quien no dijese:

—¡Se ha desengañado! ¡Se da por vencido!

En los primeros días de aquella nueva ocupación de Chaviri, acudieron muchos á verle pescar, entre ellos Pérez, Martínez y González, que con sorna le preguntaban de vez en cuando:

—¿Pican? ¿Pican?

Y los chicos, menos disimulados que las personas mayores, le gritaban al nuevo pescador:

—¡Pescador de caña, más pierde que gana!

Sólo de tarde en tarde se le veía sacar del río algún pececillo, que ni la carnada valía siquiera.

Mas es el caso, que cuando Chaviri á la caída del sol volvía al pueblo, no llevaba sólo aquellos pececillos miserables cuya pesca habían presenciado los curiosos, sino también hermosas anguilas y soberbias truchas, que las vendedoras del mercado le pagaban á subido precio.

No había nadie que al pueblo llevara pesca tan rica y abundante como la de Chaviri.

Los primeros días se atribuyó aquello á simple casualidad. Pero la cosa iba durando una y otra semana. Á los dos meses el nuevo pescador había ganado ya mucho dinero.

Fué la noticia extendiéndose, y Chaviri dejó de oir el irónico: ¿Pican? ¿Pican? Los chicos ya no volvieron á gritarle: ¡Pescador de caña, más pierde que gana!

Y como se había hecho malicioso, pronto se dió cuenta de que algunos de los, que antes se burlaban de él, le acechaban con cautela ó le seguían con disimulo.

—¡Ah! ¡Qué bien hice—se dijo—en evitar que nadie me viese río arriba, donde está el escondido remanso, de las anguilas y de las truchas, que he descubierto yo solo!

Usaba de toda clase de ardides para observar si era acechado ó seguido, y prefería volver sin pesca al pueblo á exponerse por una imprudencia á que acertasen el sitio de la pesca maravillosa.

So it is that, when it was known that after so many ponderings he had made himself a fisherman with a rod, there was no-one who might not say;

"He has become disillusioned! He has given up!"

In the first days of that new occupation of Chaviri, many came to see him fish, among them Pérez, Martínez y González, who with sarcasm asked him from time to time:

"Are they biting? Are they biting?"

And the boys, less dissembling/more open than the older persons, shouted at the new fisherman:

"Fisherman with rod, loses more than gains/earns"

Only at rare intervals, was he seen to take out of the river some little fish that was not even worth the bait.

But it is a fact, that when Chaviri at sunset returned to the village, he did not carry only those miserable little fish, whose fishing the curious had witnessed, but also beautiful eels and superb trout, for which the market sellers paid him a high price.

There was not anyone who might take to the village fish so rich and abundant as that of Chaviri.

The first days that was attributed to simple chance. But the thing went on lasting from one week to another. After two months the new fisherman had already earned a lot of money.

The news was spreading, and Chaviri ceased hearing the ironical: Are they biting? Are they biting? The boys did not again shout at him: Fisherman with rod, loses more than gains/earns!

And as he had made himself crafty, soon he realised that some of those, who before were mocking him, were spying on him with caution, or they were following him in an underhand way.

"Ah! How well I did it" he said to himself "in avoiding anyone from seeing me (that anyone might see me) up river, where the hidden pool is, of eels and trout, that I alone have discovered!

He used every kind of strategy in order to observe if he was watched or followed, and preferred to return without fish to the village, to exposing himself by an imprudence from which they might guess the place of the marvellous fish.

Una tarde, en que Chaviri estaba seguro de ser espiado, después de pasar pacientemente una hora echando su caña en el sitio donde solía ponerse para que las gentes le vieran, miró á su alrededor con gesto receloso, se levantó, recogió su aparejo, y se fué río abajo, donde la orilla forma un recodo oculto entre espinos y zarzales.

Se sentó sobre la hierba, tendió su caña y echó su anzuelo á la corriente.

Al poco rato exclamó:

—¡Gracias á Dios que estoy solo! ¡No es floja la pesca que hoy voy á llevar!

Entonces, del matorral inmediato salió una cabeza, y luego otra del de más allá y otra tercera más lejos. Chaviri reconoció al punto á González, á Martínez y á Pérez, que se apresuraron á decirle:

—¡Tú nos engañas!

—¡No pones nada en tu anzuelo!

—¡Si querrás hacernos creer que se puede pescar sin carnada!

—¿Cómo que no? ¡Ya lo veis!—contestó Chaviri riéndose.—¡Nada he puesto en mi anzuelo... y los tres habéis picado!

18. Hipocondria

Un hombre muy rico envió por un médico para curarle de su enfermedad, que era pura aprensión. Cuando el médico llegó, le tomó el pulso, le preguntó qué era lo que sentía, y viendo que estaba bueno según todas las apariencias, le preguntó:

—¿Come Vd. bien?

—Sí, señor.

—¿Duerme Vd. bien?

—Sí, señor.

—Bien, —dijo el médico;—voy a recetarle una medicina con que pierda Vd. todo eso.

One afternoon, in which Chaviri was sure of being spied on, after passing patiently an hour casting his rod in the spot where he used to place himself so that the people should see him, he looked around with a suspicious gesture/expression, he got up, gathered together his tackle/materials, and he went off down river, where the bank forms a hidden bend between hawthorns and brambles.

He sat down upon the grass, stretched out his rod and threw his hook into the current.

After a little while he exclaimed:

"Thank God that I am alone! The fish that today I am going to take away is not little/feeble!"

Then, from the thicket adjoining/nearby a head came out, and then another from one further on, and a third more distant. Chaviri recognised immediately González, Martínez and Pérez who hastened to say to him:

"You are deceiving us!"

"You are putting nothing on your hook!"

"As if you will have us believe that one can fish without bait!"

"Why not? Now you see it!" replied Chaviri laughing. "Nothing have I put on my hook...and you three have bitten!"

18. Hypochondria

A very rich man sent for a doctor to cure him of his illness, which was pure apprehension/hypochondria. When the doctor arrived, he took his pulse, he asked him what was it he felt, and seeing that he was well according to all the appearances, he asked him:

"Do you eat well?"

"Yes, señor."

"Do you sleep well?"

"Yes, señor."

"Well," said the doctor: "I am going to prescribe you a medicine with which you should lose all this."

41

19. El Espejo

Mucho tiempo hace vivían dos jóvenes esposos en lugar muy apartado y rústico. Tenían una hija y ambos la amaban de todo corazón.

Cuando la niña era aún muy pequeñita, el padre se vió obligado a ir a la capital del país. Ni la madre ni la niña podrían acompañarle, y él se fué solo, prometiendo traerles, a la vuelta, muy lindos regalos. La madre no había ido nunca más allá de la cercana aldea, y así no podía desechar cierto temor al considerar que su marido emprendía tan largo viaje; pero al mismo tiempo sentía orgullosa satisfacción de que fuese él, por todos aquellos contornos, el primer hombre que iba a la rica ciudad, donde había que ver tantos primores y maravillas.

En fin, cuando supo la mujer que volvía su marido, vistió a la niña de gala, lo mejor que pudo, y ella se vistió un precioso traje azul que sabía que a él le gustaba en extremo.

Gran fué el contento de esta buena mujer cuando vió al marido volver a casa sano y salvo. La chiquitina daba palmadas y sonreía con deleite al ver los juguetes que su padre le trajo. Y él no se hartaba de contar las cosas extraordinarias que había visto, durante la peregrinación, y en la capital misma.

—A ti—dijo a su mujer—te he traido un objeto de extraño mérito; se llama espejo. Mira y dime que ves dentro.

Le dió entónces una cajita chata, de madera blanca, donde, cuando la abrió ella, encontró un disco de metal. Por un lado era blanco como plata mate, y por el otro, brillante y pulido como cristal. Allí miró la joven esposa con placer y asombro, porque desde su profundidad vió que la miraba, con labios entreabiertos y ojos animados, un rostro que alegre sonreía.

19. The Mirror

A long time ago a young couple (lit: two young spouses) lived in a place very out of the way and rustic. They had a daughter and both loved her with all their heart.

When the little girl was still very small, the father found himself (lit: saw himself) obliged to go the capital of the country. Neither the mother nor the girl would be able to accompany him, and he went off alone, promising to bring them, on the return, very pretty presents. The mother had never gone further than the neighbouring village, and so was not able to cast off a certain fear on considering that her husband was undertaking such a long journey; but at the same time, she felt a proud satisfaction that it should be him, from all that neighbourhood, the first man that was going to the rich city, where there were so many exquisite things and marvels to see.

At last, when the wife knew that her husband was returning, she dressed the little-girl in her finest, the best she was able, and she dressed herself in a pretty blue dress that she knew pleased him (he liked) extremely.

Great was the contentment/joy of this good woman when she saw the husband return to the house sound/healthy and safe. The little girl clapped and smiled with delight on seeing the toys that her father brought her. And he did not tire of relating the extraordinary things he had seen during the journey (also: pilgrimage), and in the capital itself.

"For you" he said to his wife, "I have brought an object of strange merit/worth; it is called a mirror. Look and tell me what you see inside."

He gave her then a little flat box of white wood, where, when she opened it, she found a disc of metal. On one side it was white like dull/matt silver, and on the other, brilliant and polished like crystal. There the young wife looked with pleasure and surprise, because she saw from its depth, that a face that smiled happily, looked at her with lips half-open and animated eyes.

—¿Qué ves?—preguntó el marido encantado del pasmo de ella y muy ufano de mostrar que había aprendido algo durante su ausencia.

—Veo a una linda moza, que me mira y que mueve los labios como si hablase, y que lleva ¡caso extraño! un vestido azul, exactamente como el mío.

—Tonta, es tu propia cara la que ves,—le replicó el marido, muy satisfecho de saber algo que su mujer no sabía.—Ese redondel de metal se llama espejo. En la ciudad cada persona tiene uno, por más que nosotros, aquí en el campo, no los hayamos visto hasta hoy.

Encantada la mujer con el presente, pasó algunos días mirándose a cada momento, porque, como ya dije, era la primera vez que había visto un espejo, y por consiguiente, la imagen de su linda cara. Consideró, con todo, que tan prodigiosa alhaja tenía sobrado precio para uso de diario, y la guardó en su cajita y la ocultó con cuidado entre sus mas estimados tesoros.

Pasaron años, y marido y mujer vivían aún muy dichosos. El hechizo de su vida era la niña, que iba creciendo y era el vivo retrato de su madre, y tan cariñosa y buena que todos la amaban. Pensando la madre en su propia pasajera vanidad, al verse tan bonita, conservó escondido el espejo, pensando que su uso pudiera engreír a la niña. De esta suerte se crió la muchacha tan sencilla y candorosa como había sido su madre, ignorando su propia hermosura, y que la reflejaba el espejo.

Pero llegó un día en que sobrevino tremendo infortunio para esta familia hasta entonces tan dichosa. La excelente y amorosa madre cayó enferma, y aunque la hija la cuidó con tierno afecto y solícito desvelo, se fué empeorando cada vez más, hasta que no quedó esperanza, sino la muerte.

Cuando conoció ella que pronto debía abandonar a su marido y a su hija, se puso muy triste, afligiéndose por los que dejaba en la tierra y sobre todo por la niña. La llamó, pues, y le dijo:

"What do you see?" asked the husband delighted by her astonishment, and very proud to show that he had learned something during his absence.

"I see a pretty young woman that looks at me and moves her lips as if she were speaking, and who wears, an extraordinary thing, a blue dress exactly like mine!"

"Silly, it is your own face that which you see," the husband answered her, very satisfied at knowing something that his wife did not know. "This disc of metal is called a mirror. In the city every person has one, even if we, here in the country, may not have seen them until now."

The wife, enchanted with the present, passed some days looking at herself every moment, because, as I said already, it was the first time that she had seen a mirror, and consequently, the image of her pretty face. She considered that after all, such a prodigious jewel had too much value/price for daily use, and she kept it in its little box and hid it with care among her most valued treasures.

Years passed, and the husband and wife lived still very happily. The enchantment/delight of their life was the little girl, who went on growing and was the living portrait/image of her mother, and so affectionate and good that everyone loved her. The mother, thinking of her own fleeting vanity, on seeing herself so pretty, kept hidden the mirror, thinking that its use might be able to make-conceited the little-girl. In this way, the girl grew up as simple/straightforward and frank/candid as had been her mother, not-knowing her own beauty, and the one that the mirror reflected.

But the day came in which suddenly-happened a tremendous misfortune for this family, until then so happy. The excellent and loving mother fell ill, and although the daughter cared for her with tender affection and anxious watching, she went on worsening, each time more, until no hope remained, but death.

When she knew that soon she must abandon her husband and her daughter, she became very sad, grieving/afflicted for those that she was leaving on earth and above all for her daughter. She called her therefore and said to her:

—Querida hija mía, ya ves que estoy muy enferma y que pronto voy a morir y a dejaros solos a ti y a tu amado padre. Cuando yo desaparezca, prométeme que mirarás en el espejo, todos los días al despertar y al acostarte. En él me verás y conocerás que estoy siempre velando por ti.

Dichas estas palabras, le mostró el sitio donde estaba oculto el espejo. La niña prometió con lágrimas lo que su madre pedía, y ésta, tranquila y resignada, expiró a poco.

En adelante, la obediente y virtuosa niña jamás olvidó el precepto materno, y cada mañana y cada tarde tomaba el espejo y miraba en él, por largo rato e intensamente. Allí veía la cara de su perdida madre, brillante y sonriendo. No estaba pálida y enferma como en sus últimos días, sino hermosa y joven. A ella confiaba de noche sus disgustos y penas del día, y en ella, al despertar, buscaba aliento y cariño para cumplir con sus deberes.

De esta manera vivió la niña, como vigilada por su madre, procurando complacerla en todo como cuando vivía, y cuidando siempre de no hacer cosa alguna que pudiera afligirla o enojarla. Su más puro contento era mirar en el espejo y poder decir:

—Madre, hoy he sido como tú quieres que yo sea.

Advirtió el padre, al cabo, que la niña miraba sin falta en el espejo, cada mañana y cada noche, y parecía que conversaba con él. Entonces le preguntó la causa de tan extraña conducta. La niña contestó:

—Padre, yo miro todos los días en el espejo para ver a mi querida madre y hablar con ella.

Le refirió además el deseo de su madre moribunda. Enternecido por tanta sencillez y tan fiel y amorosa obediencia, virtió él lágrimas de piedad y de afecto, y nunca tuvo corazón para descubrir a su hija que la imagen que veía en el espejo era el trasunto de su propia dulce figura, que el poderoso y blando lazo del amor filial hacía cada vez más semejante a la de su difunta madre.

"My dear daughter, now you see that I am very ill and that soon I am going to die and to leave you and your beloved father alone. When I go (disappear), promise me that you will look in the mirror, every day on awaking and upon going to bed. In it you will see me and you will know that I am always watching over you."

These words said, she showed her the place where the mirror was hidden. The girl promised with tears what her mother asked, and she, calm and resigned, expired/died shortly afterwards.

From then on, the obedient and virtuous girl never forgot the maternal command, and every morning and every evening took the mirror and looked in it, for a long time and intently. There she saw the face of her lost mother, bright and smiling. She was not pale and ill as in her last days, but beautiful and young. To her sat night she confided her troubles and sorrows of the day, and in it, on waking, she looked for courage and affection in order to carry-out her duties/responsibilities.

In this way the girl lived, as (though) watched over by her mother, trying to please her in everything as when she lived, and taking care always not to do anything that might be able to grieve or annoy her. Her most pure satisfaction was to look in the mirror and to be able to say:

"Mother, today I have been as you want me to be."

The father noticed, finally, that the girl looked in the mirror without fail, each morning and each night, and it appeared that she was talking with it. Then he asked her the cause of such strange behaviour. The girl replied:

"Father, I look in the mirror every day in order to see my dear mother and to talk with her."

She related to him also the desire of her dying mother. Moved by such simplicity and such faithful and loving obedience, he shed tears of pity and of affection and never had the heart in order to reveal/discover to his daughter that the image she was seeing in the mirror was the likeness of her own sweet countenance/figure, that the powerful and gentle bond of filial love made each time more like that of her deceased mother.

47

20. El Perro Del Ventrílocuo

Entró en una fonda un ventrílocuo acompañado de su hermoso y muy inteligente perro. Se sentó a una mesa, llamó al mozo y dijo:

—Tráigame Vd. un biftec.

Estaba ya al punto de irse el mozo para ejecutar la orden, cuando se detuvo pasmado. Oyó distintamente que dijo el perro:

—Tráigame a mí también un biftec.

Estaba sentado a la misma mesa en frente al ventrílocuo un rico que tenía más dinero que inteligencia. Éste dejó caer el tenedor y el cuchillo y miró al perro maravilloso. Mientras tanto había vuelto el mozo. Puso un biftec sobre la mesa delante del dueño, y el otro en el suelo delante del perro.

Sin hacer caso del asombro general, hombre y perro comieron con buen apetito. Después dijo el dueño:

—Mozo, tráigame Vd. un vaso de vino.

Y añadió el perro:

—Tráigame a mí un vaso de agua.

En esto todos en la sala cesaron de comer, y se pusieron a observar esta escena extraordinaria. Volviéndose al ventrílocuo, preguntó el rico:

—¿Quiere Vd. vender este perro? Nunca he visto animal tan inteligente.

Pero el amo contestó:

—Este perro no se vende. Es mi mejor amigo, y no podemos vivir el uno sin el otro.

Apenas hubo concluido éste, cuando dijo el perro:

—Es verdad lo que dice mi amo. No quiero que me venda.

Entonces el rico sacó la bolsa, y poniendo sobre la mesa un billete de quinientos euros sin decir palabra, dirigió al ventrílocuo una mirada interrogativa.

—A fe mía,—dijo éste,—esto ya es otro cantar. Veo ahora que puede hablar también el dinero. Es de Vd. el perro.

20. The Ventriloquist's Dog

A ventriloquist entered an inn accompanied by his beautiful and very intelligent dog. He sat at a table, called the waiter and said:

"Bring me a beefsteak."

The waiter was already on the point of going off in order to execute the order, when he stopped dumfounded. He distinctly heard that the dog said:

"Also bring me a beefsteak."

Seated at the same table in front of the ventriloquist was a rich-man who had more money than intelligence. He let drop his fork and knife and looked at the marvellous dog. Meanwhile the waiter had returned. He put one beefsteak upon the table in front of the owner, and the other on the floor in front of the dog.

Without taking notice (making anything) of the general surprise, the man and the dog ate with a good appetite. Afterwards the owner said:

"Waiter bring me a glass of wine."

And the dog added:

"Bring me a glass of water."

At this everyone in the room stopped eating, and set about observing this extraordinary scene. Turning to the ventriloquist, the rich-man asked:

"Do you want to sell this dog? I have never seen an animal so intelligent."

But the owner answered:

"This dog is not for sale. It is my best friend, and we could not live the one without the other."

Hardly had he finished this, when the dog said:

"It is true what my master says. I do not want him to sell me."

Then the rich-man took out his purse, and putting upon the table a note for five hundred euros without saying a word, directed to the ventriloquist a questioning look.

"Upon my word (lit: by my faith)" said the latter, "this is indeed another song. I see now that money is also able to talk. The dog is yours."

Después de haber concluido la comida el rico, muy alegre y ufano, partió con el animal, que al momento de salir pronunció, con voz casi ahogada de disgusto y de cólera, estas palabras:

—Miserable, me ha vendido Vd. Pero juro por todos los santos, que en toda mi vida no diré otra palabra.

21. ¿Qué Hay Más Tonto Que Pescar?

1. Juan, que es pescador de caña,
Se pasa el día pescando,
Y Pedro lo está mirando
Con una sonrisa extraña.

2. Pasan dos horas ó tres,
En las que Juan nada pesca,
Y con sorna picaresca
Le dice Pedro después:

3. —Tu ocupación singular
Mucho te ha de divertir;
Pero ¿me quieres decir
Qué hay más tonto que pescar?

4. Y al oir aquella fresca,
Volviéndose Juan de pronto,
Le contestó:—¿Qué hay más tonto?
¡Estar mirando al que pesca!

After having finished the meal the rich-man, very happy and proud, left with the animal, which, at the moment of leaving declared, with a voice almost choking with disgust and anger, these words:

"Wretch, you have sold me. But I swear by all the saints, that in all (the rest of) my life I will not say another word."

21. What Is There More Foolish Than To Fish?

1. Juan, who is a fisherman with a fishing-rod,
Passes the day fishing,
And Pedro is watching him,
With a strange smile.

2. Two or three hours pass,
In which Juan fishes/catches nothing,
And with sly sarcasm,
Pedro says to him afterwards:

3. "Your singular/odd occupation,
Has much to amuse you,
But do you want to tell me
What is more foolish than to fish?"

4. And on hearing that impertinence,
Juan turning around quickly,
Answered him: "What is more foolish?
To be watching the one who fishes!"

22. El Estudiante Juicioso

Caminaban juntos y a pie dos estudiantes desde Peñafiel a Salamanca. Sintiéndose cansados y teniendo sed se sentaron junto a una fuente que estaba en el camino. Después de haber descansado y mitigado la sed, observaron por casualidad una piedra que se parecía a una lápida sepulcral.

Sobre ella había unas letras medio borradas por el tiempo y por las pisadas del ganado que venía a beber a la fuente. Les picó la curiosidad, y lavando la piedra con agua, pudieron leer estas palabras:

'Aquí está enterrada el alma del licenciado Pedro García.'

El menor de los estudiantes, que era un poco atolondrado, leyó la inscripción y exclamó riéndose:

—¡Gracioso disparate! Aquí está enterrada el alma. ¿Pues una alma puede enterrarse? ¡Qué ridículo epitafio!

Diciendo esto se levantó para irse. Su compañero que era más juicioso y reflexivo, dijo para sí:

—Aquí hay misterio, y no me apartaré de este sitio hasta haberlo averiguado.

Dejó partir al otro, y sin perder el tiempo, sacó un cuchillo, y comenzó a socavar la tierra alrededor de la lápida, hasta que logró levantarla. Encontró debajo de ella una bolsa. La abrió, y halló en ella cien ducados con un papel sobre el cual había estas palabras en latín:

"Te declaro por heredero mío a tí, cualquiera que seas, que has tenido ingenio para entender el verdadero sentido de la inscripción. Pero te encargo que uses de este dinero mejor de lo que yo he usado de él."

Alegre el estudiante con este descubrimiento, volvió a poner la lápida como antes estaba, y prosiguió su camino a Salamanca, llevándose el alma del licenciado.

22. The Judicious/Wise Student

Two students were walking together and on foot from Peñafiel to Salamanca. Feeling themselves tired and being thirsty they sat down next to a fountain that was by the road. After having rested and relieved their thirst, they observed by chance a stone that seemed like a tombstone.

Upon it there were some letters half erased by time and by the steps of the cattle that came to drink at the fountain. Curiosity pricked them, and washing the stone with water they were able to read these words:

'Here is buried the soul of the graduate Pedro García.'

The younger of the two students, who was a little scatter-brained, read the inscription and exclaimed laughing:

"Amusing nonsense! Here is buried the soul. So then a soul is able to bury itself? What a ridiculous epitaph!"

Saying this he got up in order to go. But his companion who was more judicious and reflective, said to himself:

"Here there is a mystery, and I will not go away from this place until having investigated/solved it."

He let the other leave, and without losing time, he took out a knife and began to dig out the earth around the stone, until he managed to lift it. He found beneath it a bag. He opened it and found in it one hundred ducats (old gold coins) with a paper upon which there were these words in Latin:

"I declare you my heir, whoever you may be, that you have had the ingenuity in order to understand the true sense of the inscription. But I charge you that you should use this money better than I have used it."

The student happy with this discovery, replaced the stone as it was before, and continued his journey to Salamanca, taking away the soul of the graduate.

23. De Viaje

Dejo á Barcelona entregada á su industria poderosa y á sus hábitos mercantiles y me vuelvo á Madrid. Llego á la estación del ferrocarril en busca del tren que ha de conducirme á la capital, y advierto con profunda sorpresa que el andén está lleno de peregrinos de todas clases, procedentes de Roma y que se disponen á regresar á sus pueblos respectivos.

En mi coche penetran varios, y entre ellos una señora con una perra, á la que trata de ocultar en el seno para no incurrir en las iras de los empleados. La perra, que es muy juguetona, salta sobre mis rodillas y se pone á escarbar encima de mis pantalones como si estuviera en el campo.

—Celina—le dice su ama cariñosamente,—lame á este caballero para manifestarle tus simpatías.

—No, señora—contesto yo,—dígale V. que no se moleste.

—Quiero que vea V. su docilidad.

La perra dirige á la señora una mirada de infinita ternura y se pone á lamer á los viajeros, uno por uno, hasta que llega á un fabricante de corchos, hombre iracundo, sin fe religiosa, ni aseo personal, que al sentirse lamido, suelta un juramento y quiere matar á la perra con los paraguas.

Los demás viajeros conseguimos tranquilizarle, y la señora se ve acometida de un estremecimiento nervioso, y comienza á herir la delicadeza del fabricante, desatándose en improperios contra los corchos, hasta que llega el interventor del tren y exige el billete de la perra, con mal talante.

—¿Cómo?—grita la señora.—Un animalito que no pasa de los seis años, ¿va á pagar billete entero, como si fuese una persona mayor?

—No hay más remedio.

—Pues esto es un abuso, y en cuanto llegue á Madrid se lo contaré todo á un amigo, que es de la mayoría parlamentaria y se tutea con un primo del primer ministro.

23. Travelling

I leave Barcelona given over to its powerful industry and to its commercial customs and I return to Madrid. I arrive at the railway station in search of the train that has to take me to the capital, and I notice with deep surprise that the platform is full of pilgrims of all kinds, coming from Rome and that they are preparing to return to their respective towns.

In my carriage various enter, among them a lady with a bitch, which she tries to hide in her bosom/lap in order not to incur the ire/anger of the employees (i.e. of the railway). The bitch, which is very playful, jumps upon my knees and sets itself to scratch on top of my trousers as if it were in the countryside.

"Celina" its owner says to it affectionately, "Lick this gentleman in order to show him your sympathy/friendly-feelings."

"No señora" I reply, "Tell it that it should not trouble itself'."

"I want you to see its docility."

The bitch directs to the lady a look of infinite tenderness and sets itself to lick the travellers one by one, until it arrives at a manufacturer of corks, an irascible man, without religious faith, or personal cleanliness, who on feeling himself licked, lets out an oath and wants to kill the bitch with his umbrella.

We, the other travellers, manage to calm him, and the lady finds/sees herself attacked by nervous trembling, and begins to wound the delicate-feelings of the manufacturer, unleashing insults against corks, until the inspector arrives and demands the ticket for the bitch, with ill humour.

"What?" shouts the lady. "A little animal that is not more than six (years old), is going to pay for a whole ticket, as if it were an adult person?"

"There is no other way. (It cannot be helped)"

"Well this is an abuse/outrage, and as soon as I arrive at Madrid I will tell all to a friend, who is one of the parliamentary majority and addresses as 'tu' a cousin of the prime minister."

Al fin se conmueve el empleado, y exige sólo por la perra el importe de medio billete, considerándola niña de lanas.

Y en éstas y las otras llegamos á Manresa, donde hay varios viajeros esperando el tren para tomarlo, poco menos que á la bayoneta. La señora se pone de pie delante de la portezuela á fin de evitar el asalto, pero ellos no cejan en su propósito y atropellan todo lo existente.

Entre los recién llegados figura un teniente de carabineros que viaja con un saco de noche, dos sombrereras, una escopeta de dos cañones y un manojo de sables atados con un cordel. La perra ve aquellos instrumentos mortíferos y se pone á ladrar como una loca.

—Aquí no hay sitio para todo ese equipaje—dice la señora estrechando á la perra contra su corazón.

—¿Que no?—contesta el militar sonriendo.

Y deja caer los bultos sobre el almohadón del coche; después se quita las botas, abre el saco de noche, saca unas babuchas que parecen dos orejas de elefante, y se las calza con la mayor tranquilidad murmurando:

—¿Ve V. como hay sitio para todo?

La señora se muerde los labios.

Detrás del teniente penetran dos curas y se sientan encima de la perra, haciéndola prorrumpir en sollozos agudos. Entonces la señora pierde la calma y quiere arañar al clero; el fabricante se subleva porque le ha pisado la señora un juanete; ruge el carabinero y se asustan los sacerdotes hasta que se restablece la calma y cada cual busca el medio de descansar mejor.

Un peregrino se sienta á mi lado, apoya la cabeza en mi hombro y se queda dormido, rozándome dulcemente la mejilla con la media docena de pelos que adornan su frente. Otro peregrino saca un salchichón, que parece una escopeta, y se pone á comer rajas y á tararear un himno piadoso. Algunas veces va á levantar el salchichón y me da con él en la cabeza.

At last the employee is moved, and only demands the cost/price of half a ticket for the bitch, considering it a woolly little girl.

And with this and others we arrive at Manresa (station on way to Madrid) where there are various travellers awaiting the train in order to take it, little less than by the bayonet. The lady gets herself on foot in front of the carriage-door with the object of avoiding the assault, but they do not let up in their intention and they trample over all present.

Among the recent arrivals figures/appears a lieutenant of the frontier guards, who travels with an overnight bag, two hat-boxes, a double barrel shotgun and a handful of sabres tied with a cord. The bitch sees those deadly instruments and starts to bark like a lunatic.

"There is no room for all this luggage" says the lady pressing the bitch against her heart.

"Why not?" replies the soldier smiling.

And he lets fall the bundles upon the big cushion of the coach; afterwards he removes his boots, opens the overnight bag, takes out some slippers that seem like two elephant ears, and puts them on with the greatest calm murmuring:

"Do you see how there is a place for everything?"

The lady bites her lips.

Behind the lieutenant two priests come in and they sit upon the bitch, making it burst into sharp cries. Then the lady loses her calm and wants to scratch the clergy; the manufacturer is infuriated because the lady has stepped on a bunion; the frontier-guard roars and the priests are frightened until calm is restored and each one looks for the best means of resting.

A pilgrim sits at my side, rests his head on my shoulder, and remains asleep, gently brushing/scraping my cheek with the half dozen hairs that adorn his brow. Another pilgrim takes out a large (Bologna) sausage, that resembles a shotgun, and begins to eat slices and to hum a pious hymn. Sometimes he goes to raise the sausage and he strikes me with it on the head.

Cuando llego á Madrid, quiero abrazar á un amigo que me espera en la estación y las fuerzas me faltan.

—¿Qué tienes?—me pregunta.—¿Estás malo?

—¿Cómo quieres que esté un hombre que ha venido desde Barcelona debajo de dos peregrinos, y amenazado constantemente por una perra, una señora y un salchichón?

24. El Camarero Erudito

Varios amigos, un militar, un poeta, un cura, un usurero y un pintor, estaban de sobremesa discurriendo acerca del valor relativo de algunos grandes hombres.

El camarero de la fonda los escuchaba encantado.

—Propongo un brindis,—dijo el militar,—por el primer hombre del mundo, por Alejandro Magno.

—¡Protesto!—exclamó el poeta;—el primer hombre del mundo fué Byron!

—¡Profano!—dijo el cura;—el primer hombre del mundo fué San Ignacio de Loyola.

—Proclamo,—chilló el usurero,—por primer hombre del mundo a Malthus.

—¡Protervo!—vociferó el pintor;—el primer hombre del mundo fué Miguel Ángel.

—¡Pobres señores!—se permitió decir el camarero de la fonda.—El primer hombre del mundo fué Adán.

Este despropósito cayó tan en gracia a los amigos, que al acabar de reír ya no se acordaron de su discusión, ni de dar propina al camarero.

When I arrive at Madrid, I want to hug a friend who awaits me in the station and my strength fails me.

" What's the matter?" he asks me. "Are you ill?"

"How do you want a man to be who has come from Barcelona beneath two pilgrims, and menaced/threatened constantly by a bitch, a lady and a sausage?"

24. The Learned Waiter

Various friends, a soldier, a poet, a priest, a moneylender, and a painter, were discussing/pondering after-dinner with regard to the relative value/worth of some great men.

The waiter of the inn listened to them captivated.

"I propose a toast," said the soldier: "for the foremost man of the world, for Alexander the Great."

"I protest!" exclaimed the poet: "the foremost man of the world was Byron!"

"Profane!" said the priest; "the foremost man of the world was Saint Ignacio Loyola."

"I proclaim," shrieked the moneylender, "for Malthus as the foremost man of the world."

"Wicked/perverse!" shouted the painter; "the foremost man of the world was Michael Angelo."

"Poor sirs!" the waiter of the inn allowed himself to say. "The first man of the world was Adam."

This absurdity so amused (lit: so fell in favour to) the friends that on finishing laughing, they no longer remembered their argument, nor to give a tip to the waiter.

25. Buena Ganga

Una mañana entró un caballero en la tienda de un prendero. Él sacó un cuadro y dijo con cortesía:

—Voy ahora a la oficina. ¿Hará Vd. el favor de guardarme este cuadro? Lo recogeré por la tarde cuando vuelva a casa.

—Con mucho gusto, caballero,—respondió el prendero.
—Espero que no lo toque nadie, porque es un cuadro de gran valor. Mi abuelo lo compró hace muchos años y lo apreciamos mucho.

El prendero examinó el cuadro, luego empezó a arreglar sus muebles. Después de una hora se presentó otro caballero. Quería comprar una mesa y algunas sillas. No le gustaron los muebles pero antes de marcharse vio el cuadro. Lo examinó con cuidado y luego preguntó el precio.

—No puedo venderlo,—contestó el prendero—no es mío.
El caballero lo volvió a examinar y dijo:
—Le ofrezco mil euros además del precio del cuadro si quiere Vd. venderlo.

—Ya he dicho que no puedo venderlo, pues no es mío.

El caballero se marchó y después de algunos minutos volvió con otro hombre. Dijo que éste era pintor.

Los dos hombres examinaron el cuadro con cuidado, hablaron en secreto algunos minutos y después el comprador dijo al prendero:

—Doy diez mil euros por el cuadro y cien euros para Vd., si quiere venderlo.

—Caballero,—dijo el prendero—si quiere Vd. volver mañana, tal vez pueda yo vender el cuadro; pero ahora no puedo prometer nada.

Cuando se marcharon los dos, el prendero escondió el cuadro. A las cuatro de la tarde volvió el dueño.

—¿En dónde está mi cuadro?
—Tengo que hablar con Vd.

25. A Good Bargain

One morning a gentleman entered into the shop of a second-hand dealer (also: pawnbroker). He brought out a picture and said courteously:

" I am going to the office now. Will you do me the favour of keeping this picture for me? I will pick it up when I return home."

"With much pleasure, sir," replied the dealer.

" I hope that no-one may touch it, because it is a picture of great value. My grandfather bought it many years ago and we value it a lot."

The dealer examined the picture, and then began to arrange his furniture. After an hour, another gentleman presented himself/arrived. He wanted to buy a table and some chairs. He did not like the furniture but before going he saw the picture. He examined it carefully and then asked the price.

"I cannot sell it," replied the dealer, "it is not mine."

The gentleman examined it again and said:

"I offer you one thousand euros in addition to the price of the picture if you want to sell it."

"I have already told you that I cannot sell it, because it is not mine."

The gentleman went off and after some minutes returned with another man. He said that the latter was a painter.

The two men examined the painting with care, talking in secret for some minutes and afterwards the buyer said to the dealer:

"I (will) give ten thousand euros for the painting and one hundred euros for you if you want to sell it."

"Sir," said the dealer, "if you want to return tomorrow, perhaps I may be able to sell the picture; but now I cannot promise anything."

When the two went off, the dealer hid the picture. At four in the afternoon the owner returned.

"Where is my picture?"

"I have to talk with you."

—Bien, hable Vd., pero tengo prisa y quiero el cuadro. ¿Dónde está?

—¿Quiere Vd. venderlo?

—No, señor.

—Le doy cien euros por él.

—No quiero venderlo.

—Doscientos.

—Nada.

—Quinientos.

—Nada, nada.

—¿Quiere Vd. mil?

—No, señor.

—Pues debo confesar la verdad. Me han robado el cuadro y no puedo devolvérselo.

—¡Desgraciado de Vd.! ¿Qué ha hecho?—dijo el caballero.

—¿Sabe Vd. que es un cuadro que vale diez mil euros?

—¡Pobre de mí! Haga Vd. lo que quiera, pero no puedo darle el cuadro; me lo han robado.

El caballero se dejó caer en una silla desesperado. Después de algunos minutos, dijo:

—¿Cuánto dinero puede Vd. darme?

—Mil quinientos euros. No tengo más, aunque me lleve a la cárcel.

—No, no quiero hacer eso. Si me da Vd. ese dinero estaré satisfecho.

El prendero pagó y escondió el cuadro en la tienda, esperando al comprador.

Pasó un día, una semana, un mes y no pareció. Entonces llamó a un pintor amigo, y le dijo:

—¿Qué le parece a Vd. este cuadro?

—Hombre, no es malo.

—¿Lo quiere Vd. comprar?

—No, señor.

—¿Cuánto vale?

—Ya sabe Vd., señor Juan, que los cuadros están muy baratos.

"Well, talk. But I am in a hurry and I want the picture. Where is it?"

"Do you want to sell it?"

"No, señor.'

" I (will) give you one hundred euros for it."

"I do not want to sell it."

"Two hundred."

"Nothing."

"Five hundred."

"Nothing, nothing."

"Do you want a thousand?"

"No, señor."

"Well I must confess the truth. They have robbed the painting from me and I am unable to return it to you."

"You wretch. What have you done?" said the gentleman.

"Do you know that it is a painting that is worth ten thousand euros?"

"Poor me! Do what you may want, but I am unable to give you the picture; they have robbed me of it."

The gentleman allowed himself to fall onto a chair, desperate/in despair. After some minutes, he said: "How much money can you give me?"

"One thousand five hundred euros. I have no more even if you should take me to the prison."

"No, I do not want to do that. If you give me that money I will be satisfied."

The dealer paid and hid the picture in the shop, waiting for the buyer.

A day passed, a week, a month and he did not appear. Then he called a painter friend, and said to him:

"How does this picture appear to you?"

"Man, it is not bad."

"Do you want to buy it?"

"No, señor"

"What is it worth?"

"Now you know, señor Juan, that pictures are very cheap."

—Pues bien, dándolo barato.
—Hombre, si le dan a Vd. cuarenta euros, no será Vd. mal pagado.
—¿Dice Vd. cuarenta o cuarenta mil?
—Cuarenta, señor Juan, cuarenta, y es mucho.
—¡Ah! ¡me he perdido! ¡ladrones! ¡infames ladrones!
Después de esto ¿quién quiere comprar gangas?

26. El Filósfo Y El Buho

Por decir sin temor la verdad pura
Un Filósofo, echado de su asilo,
De ciudad en ciudad andaba errante
Detestado de todos y proscripto.
Un día que sus desgracias lamentaba,
Un buho vió pasar, que perseguido
Iba de muchas aves que gritaban
"Ése es un gran malvado, es un impío
Su maldad es preciso castigarla.
Quitémosle las plumas así vivo."
Esto decían, y todos le picaban.
En vano el pobre pájaro afligido
Con muy buenas razones procuraba
De su pésimo intento disuadirlos.
Entonces nuestro sabio, que ya estaba
Del buho infeliz compadecido,
A la tropa enemiga puso en fuga,
Y al pájaro nocturno dijo — "Amigo,
¿Por qué motivo destrozarte quiere
Esa bárbara tropa de enemigos ?"
"Nada les hice," el ave le responde ;
"El ver claro de noche es mi delito."

Jose María Heredia.

"Well then, giving it away cheap."
"Man, if they give you forty euros, you will not be badly
paid."
"Did you say forty or forty thousand?"
"Forty, señor Juan, forty and that is a lot."
"Ah! I have ruined myself! thieves! infamous/vile thieves."
After this, who wants to buy bargains?

26 The Philosopher And The Owl

For telling without fear the pure/simple truth
A Philosopher, ejected from his shelter/home,
From city to city travelled wandering,
Hated by all and banished.
One day that he was lamenting his misfortunes,
He saw an owl pass by, that went pursued
By many birds that cried:
"This is a great miscreant, he is an impious-heretic
It is necessary to punish his wickedness.
Let us strip his feathers from him whilst alive."
This they said, and all pecked him.
In vain the poor afflicted bird
With very good reasons tried
From their wicked intent to dissuade them.
Then our wise-man, who indeed was
Sorry for the unhappy owl,
Put to flight the enemy troop,
And to the nocturnal bird said: "Friend,
For what reason/motive do that
Barbarous troop of enemies want to destroy you?"
"I did nothing to them," the bird replied to him:
"Seeing clearly at night is my crime."

Jose María Heredia

27. Los Consejos De Un Padre

El león, el rey de las selvas, agonizaba en el hueco de su caverna.

Á su lado estaba su hijo, el nuevo león, el rey futuro de todos los animales. El monarca moribundo le daba penosamente el último consejo, el más importante.

—Huye del hombre—le decía:—huye siempre; no pretendas luchar con él.

Eres señor absoluto de los demás animales, no los temas; domínalos, castígalos, devóralos si tienes hambre.

Con todos puedes luchar; á todos puedes vencer; pero no pretendas luchar con el hombre: te daría muerte y sin piedad, porque es cruel, más cruel que nosotros.

—¿Tan fuerte es el hombre?—preguntó el hijo.

—No es fuerte, no—replicó el padre. Y continuó diciendo:—De un latigazo de tu cola le podrías lanzar por los aires como al más miserable animalejo.

—¿Sus dientes, sus colmillos, son poderosos?

—Son despreciables y ridículos: valen menos que los de un ratoncillo.

—¿Sus uñas, son tan potentes como mis zarpas?

—Son mezquinas y á veces las lleva sucias; no, por las zarpas no conseguiría vencerte.

—¿Tendrá melenas como éstas, que nosotros sacudimos orgullosos?

—No las tiene, y algunos son calvos.

Aquí el león moribundo abrió enormemente la espantosa boca, y lanzó el último rugido.

Después sólo pronunció estas palabras:

—Mi consejo, mi último consejo; no luches con el hombre... huye... huye del hombre....

Se estremeció su cuerpo; dobló majestuosamente la cabeza, y murió el león padre.

Empezó el reinado del león hijo.

27. The Advice Of A Father

The lion, the king of the forests, was dying (in the agony of death) in the hollow of his cave/cavern.

At his side was his son, the new lion, the future king of all the animals. The dying monarch painfully gave him the last advice, the most important.

"Flee from the man," he told him: "run away always; do not attempt to fight with him.

You are absolute lord of the rest of the animals, do not fear them; dominate/rule them, punish them, devour them if you are hungry.

With all you can fight; you are able to vanquish/conquer all; but do not attempt to fight with the man; he would kill you (give you death) and without pity, because he is cruel, more cruel than us."

"Is the man so strong?" asked the son.

"He is not strong, no," replied the father. And he continued saying: "With one lash of your tail you would be able to throw him through the air like the most miserable wretched-animal."

"His teeth, his fangs, are powerful?"

"They are despicable and ridiculous; they are worth less than those of a little mouse.

"His fingernails, are they as powerful as my claws?"

"They are contemptible, and at times he has them dirty; no, by his claws he would not manage to conquer you."

"Will he have manes like these, that we shake proudly?"

"No, he does not have them and some are bald."

Here the dying lion opened wide his frightening mouth, and gave out its final roar.

Afterwards he only pronounced these words:

"My advice, my final advice; do not fight with the man, flee.... flee.... from the man."

His body trembled; he bowed his head majestically, and the father lion died.

The reign of the lion son began.

Cuando éste comprendió que su padre había muerto, no lloró, porque los leones no lloran; pero se tendió junto á él, acercó su cabeza enorme á la enorme cabeza del león difunto, y así se quedó un rato. Los dos hocicos se unieron: el ardiente y el helado. Las dos melenas se mezclaron.

Al fin el hijo se levantó: sacudió cola y melenas y rugió.

Salió de la caverna: á zarpazos hizo rodar unos cuantos pedruscos, hasta cerrar completamente la entrada. El león muerto tenía ya su tumba, ni más ni menos que un faraón.

El león vivo se alejó por el monte y trompeteó el nuevo reinado con tres poderosos rugidos; pero aquella noche no devoró á ningún animal: no tenía hambre. Durmió poco y lo poco que durmió fué soñando con el último consejo de su padre. ¡El hombre! ¡El hombre! ¿Por qué? ¿Sería el hombre tan temible?

Á la mañana siguiente despertó y se echó por el mundo. De pronto sonó algo estrepitoso y terrible: algo á modo de rugido. Debía de ser el hombre que rugía.

Pero no: era un borrico que rebuznaba con rebuznos formidables.

El león, por impulso que no pudo contener, acometió al borrico; le derribó y le sujetó con sus poderosas garras.

—¿Eres el hombre?—le preguntó.

—No—contestó el pobre animal.—No soy el hombre, ¡aunque he oído decir que algunos se parecen á mí! Es un burro, es un borrico, se dice de muchos.

—¿Dónde encontraré al hombre?

—Sigue este valle, salva esa montaña y quizá lo encuentres al otro lado.

El león soltó al borrico y siguió su camino.

De pronto, algo se le enredó á una pierna; era una serpiente. Con violenta sacudida la arrojó á distancia; dió un salto y la sujetó con la pata.

—¿Eres el hombre?—le preguntó.

—No soy el hombre; soy la serpiente.

—¿Se parece á ti?

When he understood that his father had died, he did not cry, because lions do not cry; but he stretched out next to him, he brought close his enormous head to the enormous head of the deceased lion, and so he remained a while. The two muzzles came together: the hot and the frozen. The two manes mingled.

At last the son arose; he shook tail and mane and roared.

He left the cave; with claw-blows, he caused some big stones to roll down, until closing completely the entrance. The dead lion now had his tomb, neither more nor less than a Pharaoh.

The living lion went away by the mountain and proclaimed (trumpeted) the new reign with three powerful roars; but that night he did not eat/devour any animal; he was not hungry. He slept little and the little that he slept he was dreaming of the last advice of his father. 'The man! The man! Why? Would the man be so terrible?'

On the following morning, he awoke and set out through the world. Suddenly something loud and terrible sounded/rang out: something in the manner of a roar. It must be the man that roared.

But no: it was a donkey that brayed with formidable brays.

The lion, by an impulse that he was unable to restrain, attacked the donkey; he struck it down and held it fast with his powerful claws.

"You are the man?" he asked it.

"No" replied the poor animal. "I am not the man, although I have heard say that some appear like me! He is a donkey, he is an ass, it is said of many."

"Where will I find the man?"

"Follow this valley, get over that mountain and perhaps you may find him on the other side."

The lion let go of the ass and continued on his way.

Suddenly something wound around a leg; it was a serpent. With a violent shake he threw it some distance; he gave a jump and held it fast with his paw.

"You are the man?" he asked it.

"I am not the man; I am the serpent/snake."

"Is he like you?"

69

—Algunos á mí se parecen; como yo, se arrastran; y como yo, son venenosos.

—¿Dónde encontraré al hombre?

—Sigue por la montaña.... Pero déjame, que pesas mucho.

Y forcejeó la serpiente y quiso morderle.

—Eres un animal muy feo—dijo el león. Y aplastó y desgarró al reptil. Continuando su camino pasó la cresta de la montaña y empezó á bajar.

De pronto vió un animal que corría; y saltando sobre él, sin esfuerzo alguno lo sujetó, porque era pequeño y poco robusto.

—¿Quién eres? ¿Acaso eres el hombre?

—Soy el zorro—dijo el animalejo,—y valgo tanto como el hombre por mi travesura; entro en sus corrales y me como sus gallinas, y él sólo aprovecha las que yo le dejo.

—¿Pero le conoces?

—Mucho.

—Pues, ven conmigo.

Y el león y el zorro penetraron en el bosque.

En esto saltó un mono, se subió á un árbol y desde arriba hizo gestos burlescos á su dueño y señor, el rey de las selvas.

—¿Qué animal es ése?—preguntó el león al zorro;—¿es acaso el hombre?

—No es el hombre; pero se le parece mucho. Algunos suponen que son hermanos, ó, por lo menos, primos.

—¡Adelante! ¡Á buscar al hombre!... Un ser que se parece al borrico por el entendimiento, á la serpiente por lo rastrero y venenoso, al mono por la figura, y á quien el zorro le come las gallinas! ¡Á él! ¡Á él!—rugió el león con poderosos rugidos.

Otro animal le cerró el paso; le desafió valiente; le ladró furioso.

—No hables mal del hombre, animal, bárbaro y salvaje. El hombre es bueno, es noble, es mi compañero: parte conmigo su pan, duermo á los pies de su cama.

"Some resemble me; like me, they crawl; and like me, they are venomous."

"Where will I find the man?"

"Continue by the mountain...but let me go, for you weigh a lot."

And the serpent struggled and wanted to bite him.

"You are a very ugly animal," said the lion. And he crushed and tore the reptile. Continuing his journey he passed the summit of the mountain and began to descend.

Suddenly he saw an animal that was running; and jumping upon it, without any force he held it fast, because it was small and not strong (little robust).

"Who are you? Perhaps you the man?"

"I am the fox" said the wretched-animal, "and I am worth as much as the man for my bad-ways: I enter into his yards and I eat his hens, and he only enjoys those that I leave him."

"But you know him?"

"A lot."

"Well, come with me."

And the lion and the fox entered into the forest.

At this (moment) a monkey leapt, it went up a tree and from above made mocking gestures at his master and lord, the king of the jungles.

"What animal is this?" the lion asked the fox: "it is perhaps the man?"

"No it is not the man; but it appears a lot like him. Some suppose that they are brothers, or, at least, cousins."

"Onward! To look for the man!... A being that seems like the ass for understanding, the serpent for crawling and (being) venomous, the monkey for the figure, and for whom the fox eats the hens! To him, to him!" roared the lion with powerful roars.

Another animal blocked the way; it defied him bravely; it barked at him furiously.

"Do not speak badly of the man, barbarous and savage animal. The man is good, he is noble, he is my companion; he shares with me his bread, I sleep at the feet of his bed.

71

Si le ofendes, me ofendes á mí: si luchas con él, lucharé á su lado; mi cuerpo será escudo que pare tus zarpazos.

—Eres valiente—dijo el león.—Quien cuenta con tan buen amigo, algo bueno tendrá.

—El hombre no tiene nada bueno, como no sean sus gallineros—refunfuñó el zorro.

Pero un águila real llegó desde un picacho y tomó parte en la discusión.

—Calla, animalejo ruin: el hombre es un animal de cuenta: lo digo yo, que miro las cosas desde arriba.

El león levantó la cabeza, y preguntó:

—¿El hombre vuela como tú?

—Él no vuela: pero en su cabeza, como en jaula misteriosa, lleva una ave que vuela más que yo y que sube más alto.

—¿Cómo se llama?

—El pensamiento.

—No le conozco.

—Tampoco yo.

El león se quedó pensativo. ¿Qué sería el hombre? Los borricos hablaban de él con desprecio, las serpientes con envidia, los zorros con burla, los monos le imitaban; pero el perro le defendía y el águila le respetaba, y su padre, el más poderoso león de los bosques, mostró temor al hablar del hombre.

¿Qué debería hacer? ¿Respetar la última voluntad del león moribundo ó buscar resuelto y domar valeroso al que pretendía ser rey de la creación?

Vaciló, pero el zorro le dijo:

—Eres el animal más fuerte que existe: eres nuestro soberano, ¿y vas á huir cobardemente ante el hombre, de quien me burlo yo así todos los días y todas las noches?

—¿Y el consejo de mi padre? ¿Y su memoria que yo respeto? ¿Y su experiencia?

—Tu padre estaba chocho: los años apagaron su entendimiento y gastaron su fuerza.

If you offend him, you offend me: if you fight with him, I will fight at his side; my body will be a shield that may stop your claw-blows."

"You are brave" said the lion, "who counts on such a good friend, something good will have."

"Man has nothing good, unless they be his hen-houses" grumbled the fox.

But a royal eagle arrived from a peak and took part in the discussion.

"Be quiet, vile wretched-animal; the man is an animal of importance: I say it, I who look at things from above."

The lion raised its head, and asked:

"Does the man fly like you?"

"He does not fly; but in his head, as in a mysterious cage, he carries a bird that flies more than I and goes up much higher."

"What is it called?"

"Thinking."

"I do not know it."

"Nor me either."

The lion became thoughtful. What would the man be? The donkeys spoke of him with contempt, the serpents with envy, the foxes with mockery, the monkeys imitated him; but the dog defended him and the eagle respected him, and his father, the most powerful lion of the forests, showed fear on talking of the man.

What ought he to do? To respect the last will/wish of the dead lion or to look for determination (in himself) and valiantly to tame he who claimed to be the king of the creation.

He hesitated, but the fox said to him:

"You are the strongest animal that exists: you are our sovereign, and are you going to flee cowardly before the man, whom I so mock every day and every night?"

"And the advice of my father? And his memory that I respect? And his experience?"

"Your father was feeble-minded: the years extinguished his understanding and spent his strength."

El león se decidió á buscar al hombre y á combatir con él.

Continuó caminando por el bosque con el zorro al lado, el perro delante, el mono de árbol en árbol y el águila por los aires.

Al fin, el zorro le dijo:

—Mira, allí está. Aquel que va á caballo con arco y flechas, aquél es el hombre.

—Pero aquel animal que cruza á lo lejos es muy grande y tiene cuatro patas, y tú me dijiste que el hombre se parecía al mono.

—Es que el hombre, á veces, tiene cuatro patas ó las merece—replicó el zorro con sorna.—De todas maneras, has de saber que aquel hombre va á caballo.

—¡Pues á él!—rugió el león, y avanzó potente y valeroso.

Empezó la lucha.

El hombre á veces huía, á veces disparaba una flecha; y en retiradas y acometidas y evoluciones, atrajo al león hacia unos matorrales.

De pronto, al dar el león un salto, le faltó tierra y cayó en un foso profundo.

Quiso salir y sintió que unas fuertes ligaduras le sujetaban, manos y pies, y todo el cuerpo.

Había caído en una trampa; estaba perdido. Después de bregar un rato lo comprendió, y murmuró con roncas voces:—Mi padre tenía razón, debí huir del hombre: pero ya es tarde. Y se dispuso á morir con dignidad.

Se quedó inmóvil y dobló la majestuosa cabeza.

Al borde del hoyo se asomaron con curiosidad el hombre, el perro, el zorro y el mono; el águila miró desde arriba.

El hombre le arrojó una piedra al león á ver si podía aplastarle la cabeza.

Pero el león le dijo:

No me pegues ni me hieras en la cabeza. Hiéreme con una de las flechas en los oídos; los culpables son ellos, que no oyeron el consejo de mi padre: hiéreme en el corazón, que no le quiso ni respetó como debía.

The lion decided to look for the man and to fight with him.

He continued walking through the forest with the fox at his side, the dog in front, the monkey from tree to tree, and the eagle through the air.

At last the fox said to him:

"Look, there he is. He that goes on horseback with bow and arrows, that is the man."

"But that animal that crosses/passes in the distance is very big and he has four feet/paws, and you told me that man looked like the monkey."

"It is that the man, at times, has four feet, or deserves them" replied the fox with sarcasm. "In any case, you have to know that that man goes on horseback."

"Well at him!" roared the lion, and advanced powerful and brave.

The fight began.

The man sometimes fled, at times shot an arrow; and with retreats, and attacks and manoeuvres attracted/drew the lion towards some bushes.

Suddenly, on the lion giving a leap, the earth failed him/gave way and he fell in a deep pit.

He wanted to leave and he felt that some strong bindings were holding him fast, hands and feet, and all his body.

He had fallen in a trap; he was lost. After struggling a little he understood it, and murmured with hoarse cries/voice: "My father was right, I ought to have fled from the man: but now it is (too) late." And he prepared himself to die with dignity.

He remained motionless and bowed his majestic head.

On the edge of the hole the man, the dog, the fox and the monkey looked in with curiosity; the eagle looked from above.

The man threw a stone at the lion to see if he was able to crush its head.

But the lion said to him:

"Do not beat me nor wound me on the head. Strike me with one of the arrows in the ears; the guilty ones are they, that did not hear the advice of my father; wound me in the heart, that did not love or respect him as it ought."

Y volviéndose el león, presentó el noble pecho.

El hombre, que á veces es compasivo, atendió á su ruego, le disparó una flecha y el león quedó muerto en el fondo de la fosa.

El hombre se inclinó, gozoso, pensando: —Hermosa piel; se la arrancaré en cuanto me asegure que ha muerto.

El zorro se deslizó, mirando al hombre de reojo, y diciendo para sí: —Ahora que estás entretenido, voy á comerme tus gallinas.

El mono saltó sobre el perro, y en él se montó imitando al hombre; caballo perruno y caballero cuadrumano, salieron corriendo por el bosque.

El águila se remontó, diciendo: —El hombre mató al león; hay que subir mucho para que no me alcance; ¿quién sabe si algún día me alcanzará?

28. Una Pierna

Un paje sirvió en la comida a su señor una grulla. Esta grulla no tenía sino una pierna, porque la otra se la había comido el paje. El señor dijo: —¿Cómo no tiene esta grulla más que una pierna? Respondió el paje: —Señor, las grullas no tienen sino una pierna.

El amo dijo: —Pués, mañana yo llevaré a Vd. a caza, y verá Vd. que tienen dos, y entonces me lo pagará.

Al otro día fueron a caza y toparon con unas grullas que estaban todas sobre un pie.

Entonces dijo el paje a su amo: —¡Mire Vd.! Como no tienen más de un pie.

Refrenó el amo su caballo, diciendo: —¡ Ox, ox! Y entonces las grullas sacaron la otra pierna y empezaron a volar.

El amo dijo al paje: —¿Ve Vd. como tienen dos?

Y el paje contestó: —Si Vd. oxea a la grulla del plato, ella también sacará la otra pata.

And the lion, turning himself over, presented his noble breast/chest.

The man, who at times is compassionate, attended to his request, shot an arrow at him and the lion became dead at the bottom of the pit.

The man leant over, pleased, thinking: "Beautiful skin; I will pull it off him as soon as I assure myself that it has died."

The fox slipped off, looking out of the corner of his eye at the man, and saying to himself: "Now that you are occupied, I am going to eat your hens."

The monkey jumped upon the dog, and mounted on him imitating the man; canine horse and four-handed horseman went off running through the forest.

The eagle soared up, saying: "The man killed the lion; it is necessary to go up a lot in order that he should not reach me; who knows if one day he will reach me?"

28. A Leg

At the meal of his master, a page served a crane. This crane had only one leg, because the page had eaten the other. The master said: " Why does this crane not have more than one leg?" The page replied: "Sir, the cranes do not have but one leg."

The master said: "Well, tomorrow I will take you to a hunt, and you will see that they have two, and then you will pay me for it."

On the next day, they went on a hunt and came across some cranes that were all upon one foot.

Then the page said to his master: "Look how they do not have more than one foot!"

The master reined in his horse saying: "Shoo, shoo!" And then the cranes took-out the other leg and began to fly.

The master said to the page: "Do you see how they have two?

And the page replied: "If you shoo the crane from the plate, it also will take out the other foot/leg."

29. Exámenes

— ¡ Uf, qué días éstos más antipáticos !

— ¿ Alude usted á la lluvia ?

— No, aludo á los exámenes de fin de curso. Mañana tengo que probar mi suficiencia ante el tribunal.

— ¿Y qué ? ¡ Está usted tranquilo ?

— Naturalmente. ¿No sabe usted que mi tío, el Senador, es persona de muchísimas relaciones ? Lo primero que hizo fué ir á ver á los catedráticos y decirles claramente lo que me pasa.

— ¿Y qué le pasa á usted?

— ¡ Cómo ! ¿ No se ha enterado usted de que me dedico á la esgrima ? Sí, hombre, sí ; me paso el día entero tirando.

— ¿De qué?

— Tirando al sable. Es para lo que tengo más disposición; de manera que no he estudiado la asignatura. Además del sable, tengo una novia enferma del corazón, y quiere que esté siempre á su lado leyéndola poesías de Barrantes.

— ¡ Pobrecilla !

— ¡ Así está ella de desmejorada y débil! ¡Le digo á usted que tienen que subirla á la cama entre su mamá y un guardia, novio de la cocinera !

— Bueno ; ¿ pero usted está seguro de salir bien de los exámenes ?

— Ya se ve que sí. Mire usted : uno de los profesores es uña y carne de mi tío; tanto que se tutean.

— Pues entonces tenga usted como cosa segura un «sobresaliente».

Ésta es una época horrible para los estudiantes. No hay más que ir á las casas de huéspedes para comprender todo lo que están pasando.

29. Examinations

"Phew! What very disagreeable days!"

"Are you alluding to the rain?"

"No I am referring to the end of course examinations. Tomorrow I have to prove my competence before the tribunal/exam-board."

"And what? Are you calm?"

"Naturally. Don't you know that my uncle, the senator, is a person with many connections? The first thing he did was to go to see the professors and to tell them plainly what is happening to me."

"And what is happening to you?"

What! Have you not become aware (informed yourself) that I devote myself to fencing? Yes, man, yes; I pass the entire day brandishing."

"What?"

"Brandishing the sabre. It is what I have the most aptitude for; so that (in this manner) I have not studied the course-subject. In addition to the sabre, I have a girlfriend with a sick heart, and she wants me to be (that I may be) always at her side reading her poems by Barrantes (19th century poet).

"Poor little girl!"

"So she is, ailing and weak! I tell you that they have to take her up to bed between her mother and a policeman, the boyfriend of the cook!"

"Good; but are you sure of coming well out of the examinations?"

"Indeed yes, of course. Look: one of the teacherss is nail and flesh of my uncle (i.e. hand in glove with); so much so that they address each other as 'tu'.

"Well then you should have top marks/distinction as a certainty."

This is a horrible time for the students. There is no need to do more than go to the boarding houses in order to understand all that they are going through.

No comen á gusto, ni se afeitan, ni exigen á la patrona que mejore la calidad de los artículos. Lo más que hacen es decirla, en forma cortés y mesurada:

— Doña Genoveva; estas albondiguillas parecen de fieltro.

— Será porque está usted, estos días, excitado con los exámenes, y todo lo encuentra usted insípido.

En efecto: el estudiante quiere aprender en unas cuantas noches lo que ha debido estudiar en seis meses de curso, y vive presa de la agitación, y no tiene reposo, y no le encuentra sabor á la comida, ni á nada.

Hay diferentes sistemas de estudiar. Unos estudian sentados ante la mesa, con la frente apoyada en los puños; otros se tienden sobre la cama, colocando los pies en la pared; otros se pasean por la habitación, recitando en voz alta las lecciones, y otros se ponen en cuclillas sobre el baúl, porque dicen que así se les desarrolla la inteligencia. Rarezas de los estudiantes.

Los papas sufren tanto como los alumnos mismos cuando llegan estos días de exámenes.

— ¿Qué tiene usted, D. Prisco? — preguntamos á alguno.

— Estoy preocupado — contesta él. — Mi chico se examina el lunes. Es muy listo, ¿ sabe usted ? pero le han tomado ojeriza los profesores.

Pocos son los padres que declaran á sus hijos imbéciles de solemnidad. Antes, por el contrario, dicen con la mejor buena fe del mundo :

— Mi chico tiene muchísima imaginación; pero no quiere estudiar, aunque le pinchen. No es que sea torpe; no, señor. Ayer mismo me estuvo diciendo de memoria todos los reyes godos: Amalarico, Wamba, Teudiselo, Atanagildo, Nabucodonosor ; en fin, todos.

Pero los más temibles son los padres celosos. Éstos cifran toda su ventura en que sus hijos tengan una carrera, porque, como ellos dicen, el hombre sin carrera no es hombre ni es nada, y se pasan la vida diciendo á sus retoños:

They do not eat with pleasure, nor do they shave, nor do they demand of the landlady that she should improve quality of things (i.e. of the food). The most that they do is to tell her in a polite and measured way:

"Doña Genoveva; these meatballs seem to be (made of) felt."

"It will be because you are, these days, agitated with the exams, and you find everything insipid/tasteless."

In fact the student wants to learn in a few nights what he should have studied in six months of the course, and he lives a prey to nervousness, and has no rest, and does not find flavour in the food, nor in anything.

There are different systems of studying. Some study seated in front of the table, with the forehead leaning on the fists; others spread themselves out on the bed, placing the feet on the wall; others stroll about the room, reciting aloud the lessons, and others crouch/squat over the trunk, because they say that in this way it develops the intelligence in them. Oddities of students.

The fathers suffer as much as the very students when these days of the exams arrive.

"What is the matter Don Prisco?" we ask one.

"I am worried" he replies. "My boy has exams on Monday. He is very clever, you know, but the teachers have taken a dislike to him.

Few are the fathers who declare their sons downright idiots. Rather, on the contrary, they say with the best good faith in the world:

"My boy has much imagination; but he does not want to study, even though they prod him. It is not that he may be slow; no, señor. Yesterday he was telling me from memory all the gothic kings Amalarico, Wamba, Teudiselo, Atanagildo, Nabucodonosor; in the end, all (of them).

But the most fearsome are the zealous (also: jealous) fathers. These calculate all their good fortune upon their sons having (should have) a career, because as they say, a man without a career is not a man, nor is he anything, and they pass their life saying to their offspring:

— ¡ Fulanito, á estudiar!

Llegan los exámenes, y el papá coge al chico por el cuello y le habla así:

—¡ Mañana te examinas ! . . . Pues bien ; ó me traes buena nota, ¡ó te reviento!

Con lo cual el muchacho se asusta, y en vez de contestar á los profesores como manda, se hace un lío ante el tribunal, y confunde á Isabel la Católica con el General Espartero, y á la Beltraneja con Zumalacárregui, y así sucesivamente.

En fin, que lo único que se necesita para ganar curso es saberse la asignatura.

Y encerrar á los padres celosos en la despensa.

30. Pastor Divino

Pastor, que, con tus silbos amorosos
me despertaste del profundo sueño,
Tú que hiciste cayado de ese leño,
en que tiendes los brazos poderosos,

Vuelve los ojos a mi fe piadosos,
pues te confieso por mi amor y dueño,
y la palabra de seguirte empeño,
tus dulces silbos y tus pies hermosos.

Oye, pastor, pues por amores mueres,
no te espante el rigor de mis pecados,
pues tan amigo de rendidos eres.

Espera, pues, y escucha mis cuidados,
pero ¿cómo te digo que me esperes,
si estás para esperar los pies clavados?

Lope De Vega

"Little so-and-so, to study!"

The exams arrive, and the father takes the boy by the neck/collar and speaks to him like this:

"Tomorrow you have exams!... Well then; either you bring me good marks, or I blow you up (i.e. punish you)."

With which the boy becomes frightened and instead of answering the teachers as ordered, he makes a mess/muddle of it in front of the examining board, and confuses Isabel la Católica with General Espartero and Beltraneja with Zumalacárregui, and so on in succession.

In the end, the only thing that is needed to pass the course is to know the subject.

And to lock up the zealous fathers in the pantry.

30. Divine Shepherd

Shepherd, who, with your loving whistles
awakened me from my deep sleep,
You who made a crook of this wood
on which you stretch your strong arms;

Turn your pious/merciful eyes to my faith.
for I confess you to be my love and my master,
and I pledge my word to follow
your sweet whistles and your beautiful feet.

Listen, shepherd, since for love you are dying,
do not let the harshness of my sins frighten you
since you are such a friend to the weary.

Wait, then, and listen to my cares,
but why do I ask you to wait for me,
if, to make you wait, you are nailed by the feet?

Lope De Vega

31. El Tonto

Vivían en cierto pueblo un labriego y su mujer. Su única fortuna eran su cabaña, una vaca y una cabra. El marido, que se llamaba Juan, era muy tonto, tanto que sus vecinos le habían puesto por apodo "El Tonto". Pero María, la esposa, era muy inteligente y a menudo remediaba las tonterías que había hecho su marido. Una mañana María dijo a Juan: —Juan, ahora hay feria en la aldea. Vendamos nuestra vaca. Ya es muy vieja, da poca leche y el precio del heno ha subido mucho este año.

Juan después de pensar un poco, opinó como su mujer. Se puso su vestido de domingo, tomó su sombrero y se fué al establo para llevar la vaca al mercado.

—Aviva el ojo, Juan, y no te dejes engañar,—dijo la mujer.

—No tengas cuidado, mujer. Tiene que madrugar mucho el que me quiera engañar,—contestó el tonto campesino, que se tenía por muy inteligente.

Juan se fué al establo; pero una vez allí no sabía claramente distinguir cual era la vaca y cual la cabra.

—¡Caramba!—dijo para sí después de cavilar largo rato.— La vaca es más grande que la cabra. Por lo tanto me llevo al animal más grande.

Diciendo esto desató la vaca y se la llevó.

No había andado Juan muchos kilómetros cuando le alcanzaron tres jóvenes, que también iban a la feria. Llevaban estos jóvenes poco dinero, e iban hambrientos y con mucha sed. Cuando vieron al lugareño con su vaca resolvieron darle un chasco. Uno de ellos había de adelantarse y tratar de comprarle la vaca. Poco después el segundo debía hacer lo mismo, y por último el tercero.

—¡Ola, amigo!—saludó el primero.—¿Quiere Vd. vender su cabra? ¿Cuánto vale?

—¿La cabra?—replicó el aldeano atónito.—¿La cabra, dice Vd.?—y con expresión incrédula miraba al comprador y al animal.

31. The Simpleton

There lived in a certain village a farmer and his wife. Their only fortune was their hut, a cow and a goat. The husband, who was called Juan, was very foolish, so much so that his neighbours had given him for a nickname "The Simpleton." But Maria, the wife was very intelligent and frequently remedied/put right the follies that her husband had committed. One morning Maria said to Juan: "Juan, there is a fair now in the village. We should sell our cow. It is very old indeed, it gives little milk and the price of hay has gone up a lot this year.

Juan after thinking a little, thought (opined) like his wife. He put on his Sunday suit, took his hat and went to the stable in order to take the cow to the market.

"Sharpen your eye (be alert) and do not let yourself be swindled," said the wife.

"Do not worry, woman. He who may want to swindle me has to get up very early," replied the foolish countryman, who considered himself very intelligent.

Juan went to the stable; but once there he did not know how to distinguish clearly which was the cow and which the goat.

"Oh goodness!" he said to himself after pondering a long while. "The cow is bigger than the goat. Therefore I take the biggest animal."

Saying this he untied the cow and took it away.

Juan had not walked many kilometres when three young-men, who also were going to the market, caught up with him. These youngsters were carrying little money and they were hungry and very thirsty. When they saw the local-person with his cow they resolved/decided to play a trick on him. One of them was to get ahead of him and to bargain with him to buy the cow. A little afterwards the second had to do the same, and finally the third.

"Hello, friend!" the first greeted him. "Do you want to sell your goat? How much is it worth?"

"The goat?" replied the villager astonished. "The goat you say?" and with an incredulous expression he looked at the buyer and at the animal.

85

—Véndamela—continuó el joven muy serio,—le doy seis pesetas por ella.

—¿La cabra?—continuó repitiendo el lugareño, moviendo la cabeza de un lado a otro.—Yo pensaba que era mi vaca la que llevaba a la feria, y aún ahora mismo, después de mirarla bien, creo que es la vaca y no la cabra.

—¡Caracoles, hombre! No diga Vd. disparates. Ésta es la cabra más flaca que he visto en mi vida. Es mejor que guarde mis seis pesetas. Adiós.

Después de algunos minutos, el segundo joven alcanzó a Juan.

—Buenos días, amigo,—le dijo afablemente.—Hace muy buen tiempo. ¡Toma! ¿Qué lleva Vd. aquí? ¿Una cabra? Yo iba a la feria precisamente a comprar una cabra. ¿Quiere Vd. venderme la suya? Le doy cinco pesetas por ella.

El campesino se detuvo, y rasgándose la oreja, dijo para sus adentros: —Aquí esta otro sujeto que dice que traigo la cabra. ¿Será esto posible? Durante todo el camino este animal no ha abierto el hocico. Si sólo hiciera ruido yo podría entonces saber si era la cabra o la vaca. ¡Maldita suerte! La próxima vez que vaya al establo me llevo a mi mujer.

—Pues bien,—continuó el tunante joven,—si no me quiere Vd. vender la cabra, tendré que comprarla en la feria. Pero creo que cinco pesetas es bastante dinero por una cabra tan flaca. Adiós.

Por último llegó el tercer joven.

—¡Ola, amigo! ¿Quiere Vd. vender su cabra?

El pobre campesino no sabía que responder, pero al cabo de un momento de silencio replicó:

—Vd. es el tercero que me habla de una cabra. ¿No puede Vd. ver que el animal que traigo es una vaca?

—Mi buen hombre, es Vd. ciego o está embriagado,— repuso el embustero.—¡Vaya! Un niño puede decirle que su animal no es una vaca, sino una cabra; y, por cierto, muy flaca.

—¡Canastos!—contestó el tonto aldeano.

"Sell me it" continued the young-man very serious. "I give you six pesetas for it."

"The goat? The villager continued repeating, moving his head from one side to the other. "I thought that it was my cow that I was taking to the fair, and even right now, after looking at it well, I believe that it is the cow and not the goat."

"Crazy (lit: snails/spirals) Do not talk nonsense. This is the thinnest goat that I have seen in my life. It is better that I should keep my six pesetas. Goodbye."

After some minutes, the second young-man caught up with Juan.

"Good day, friend," he said affably to him, "It is very fine weather. Hold on! What are you bringing here? A goat? I was going to the fair precisely to buy a goat. Do you want to sell me yours? I give you five pesetas for it."

The countryman stopped, and scratching his ear, said to himself: 'Here is another fellow/individual who says that I am bringing the goat. Will this be possible? During all the journey this animal has not opened its snout. If only it would make a noise I would then be able to know if it was the goat or the cow. Accursed luck! The next time that I go to the stable I take my wife.'

"Well then," continued the young scoundrel, "If you do not want to sell me the goat, I will have to buy it in the fair. But I believe that five pesetas is enough money for a goat so thin. Goodbye."

Finally the third young-man arrived.

"Hello, friend! Do you want to sell your goat?"

The poor countryman did not know what to reply, but at the end of a moment of silence replied:

"You are the third that talks to me of a goat. Can you not see that the animal that I bring is a cow?"

"My good man, you are blind or you are drunk," replied the swindler. "Get on! A child could tell you that your animal is not a cow, but a goat; and for certain, very thin."

"Good gracious! (lit: baskets) answered the foolish villager.

—Recuerdo claramente que he tomado el animal que estaba atado cerca de la puerta. Además, este animal tiene la cola larga, y una cabra tiene la cola más corta.

—No diga Vd. tonterías,—contestó el tunante.—Le ofrezco cuatro pesetas por su cabra.

Diciendo y haciendo, el pícaro sacó del bolsillo cuatro piezas de plata y las hizo sonar.

El pobre lugareño completamente aturdido y ya casi convencido, vendió el animal, recibió el dinero y se volvió a su casa, mientras que los jóvenes siguieron camino a la feria.

La mujer del campesino se indignó mucho cuando su marido le entregó las cuatro pesetas.

—¡Tonto! ¡Estúpido!—exclamó colérica.—Llevaste la vaca que vale a lo menos cincuenta pesetas.

—Pero, ¿que podía hacer yo? Tres hombres, uno después de otro, me aseguraban que llevaba la cabra, y...

—¿Tres hombres? ¡Papanatas!—interrumpió la mujer. — Apuesto a que esos hombres fueron los mismos que pasaron por aquí, y me preguntaron cuál era el camino de la aldea. Sin duda han vendido ya la vaca al primer marchante que encontraron, y se regalan en este momento en alguna posada con el dinero. ¡Pronto! No perdamos tiempo. Múdate de vestido. Ponte tu mejor sombrero para que no te reconozcan. Vamos a devolverles el chasco a esos pícaros, y puede ser que aun podamos recobrar nuestro dinero.

A eso de las doce el tonto y su mujer llegaron a la aldea. Visitaron varias fondas y, como lo sospechó la mujer, los tres pícaros fueron encontrados festejándose en una de aquéllas.

El lugareño y su mujer se sentaron cerca de la mesa donde estaban los pícaros. La mujer llamó al posadero y le refirió en pocas palabras lo que había pasado a su marido.

—Si Vd. nos ayuda,—dijo la mujer al posadero,—podremos recobrar nuestro dinero. Yo propongo esto: mi marido pide un vaso de vino. Se levanta, revuelve su sombrero, llama a Vd., y Vd. saca de su bolsillo este dinero que yo le doy ahora, y pretende Vd. que la cuenta está pagada.

"I remember clearly that I have taken the animal that was tied/tethered near to the door. Moreover, this animal has the tail long, and a goat has the tail shorter."

"Do not talk nonsense," replied the scoundrel. "I offer you four pesetas for your goat."

Saying and doing, the rascal took out of his purse four pieces of silver and made them ring/chink.

The poor villager completely stunned/bewildered and now almost convinced, sold the animal, received the money and returned to his house, whilst the young-men continued on the road to the fair.

The wife of the countryman became very angry when her husband handed her the four pesetas.

"Simpleton! Stupid!" she exclaimed infuriated, "You took the cow that is worth at least fifty pesetas."

"But what was I able to do? Three men, one after the other, assured me that I was taking the goat, and......"

"Three men? Sucker/fool!" the wife interrupted. "I bet that those men were the same that passed by here, and asked me which was the road to the village. Without doubt they have now sold the cow to the first dealer that they found, and they are treating themselves at this moment in some inn with the money. Quick. We should not lose time. Change (your) clothing. Put on your best hat in order that they should not recognise you. We are going to return the trick to these rogues, and it could be that we may even be able to recover our money."

At about twelve o'clock the simpleton and his wife arrived at the village. They visited various inns and, as the woman suspected, the three swindlers were found entertaining themselves in one of them.

The villager and his wife sat down near to the table where the rogues were. The woman called the innkeeper and related in a few words what had happened to her husband.

"If you help us," said the woman to the innkeeper, "we will be able to recover our money. I propose this: my husband asks for a glass of wine. He gets up, turns his hat around, calls to you, and you take out of your pocket this money that I give you now, and you claim that the account is paid.

Mientras tanto los tres pícaros seguían comiendo y bebiendo alegremente sin prestar atención al lugareño. Pero cuando éste se levantó por tercera vez, uno de los tres cayó en ello, y preguntó al posadero la causa de tan extraña conducta.

—¡Calle Vd! ¡Silencio! —respondió éste, haciendo el misterioso. —Ese hombre tiene un sombrero mágico. He oído hablar muchas veces de ese sombrero; pero ésta es la primera vez que veo tal maravilla con mis propios ojos. Viene este campesino, me ordena un vaso de vino, revuelve el sombrero, y al momento suena en mi bolsillo el dinero. Al principio no me parecía eso possible; pero los hechos son más seguros que las palabras.

El bribón, muy sorprendido, se reunió con sus camaradas y les refirió lo que había oído.

—Debemos obtener ese sombrero a cualquier precio, —dijeron los tres al instante.

Se sentaron en la misma mesa que el lugareño, a quien no reconocieron, y trabaron conversación con él.

—Tiene Vd. un sombrero muy bonito, y me gustaría comprarlo. ¿Cuánto vale? —dijo el primero.

El lugareño le miró desdeñosamente y repuso: —Este sombrero no se vende, pues no es un sombrero ordinario como cualquier otro. ¡Ola, posadero! —gritó con voz firme.—Traiga más vino.

Cuando el vino fué servido el lugareño se levantó; revolvió el sombrero, y el posadero sacó al instante el dinero de su bolsillo.

Los tres bribones se quedaron pasmados de asombro, y tanto importunaron al lugareño que éste acabó por exclamar:

—Pues bien, por cincuenta pesetas les venderé el sombrero.

Ésta era la exacta suma en que habían vendido la vaca. Muy alegres entregaron el dinero al lugareño, que tan pronto como tuvo el oro en su bolsillo partió, muy contento.

Los tres bribones también partieron. No habían andado gran distancia cuando llegaron a otra fonda. Uno de ellos propuso que entrasen a probar el sombrero.

In the meantime, the three rogues continued eating and drinking merrily without paying attention to the villager. But when the latter got up for the third time, one of the three noticed it and asked the innkeeper the cause of such strange behaviour.

"Be quiet! Silence!" the latter replied, becoming mysterious. "This man has a magic hat. I have heard speak many times of this hat, but this is the first time that I see such a marvel with my own eyes. This countryman comes, he orders a glass of wine from me, he turns around the hat, and at once the money rings/sounds in my pocket. At first this did not appear possible to me, but facts are more certain than words."

The scoundrel, very surprised, re-joined his comrades, and recounted to them what he had heard.

"We ought to obtain this hat at whatever price," said the three instantly.

They sat down at the same table as the villager, whom they did not recognise, and entered into conversation with him.

"You have a very fine/pretty hat, and I would like to buy it. How much is it worth?" said the first.

The villager looked at him disdainfully and replied: "This hat is not for sale, because it is not an ordinary hat like any other. Hi! Innkeeper" he shouted with a firm voice. "Bring more wine."

When the wine was served the villager got up; he turned around the hat, and the innkeeper instantly took out the money from his pocket.

The three scoundrels became dumbfounded with surprise, and so importuned/pestered the villager that the latter finished by exclaiming:

"Well then, for fifty pesetas I will sell you the hat."

This was the exact sum for which they had sold the cow. Very happy they handed the money to the villager, who as soon as he had the gold in his pocket left, very satisfied.

The three scoundrels also left. They had not walked a great distance when they arrived at another inn. One of them proposed that they should enter to try out the hat.

91

Después de haber bebido algunas botellas de vino, llamaron a la huéspeda para pagarle. El primero de ellos se levantó, revolvió el sombrero, y todos ansiosamente esperaron el efecto. Pero no sucedió nada. La huéspeda, extrañando tal conducta, les dijo:

—Como Vds. me han llamado yo creía que me iban a pagar.

—Pues meta Vd. la mano en su faltriquera y hallará Vd. el dinero.

La huéspeda lo hizo así, pero no encontró ningún dinero.

—¡Diantre! —dijo el segundo joven, un poco alarmado, —tú no comprendes de esto. Dame el sombrero a mí.

El joven tomó el sombrero, se lo puso, y lo revolvió de derecha a izquierda. Pero todo en balde. La faltriquera de la huéspeda estaba tan vacía como antes.

—Son Vds. unos bobos, —gritó el tercero con impaciencia. —Voy a enseñar a Vds. como debe ser revuelto el sombrero.

Y diciendo esto, revolvió el sombrero muy despacio y con mucho cuidado. Pero observó con gran desaliento que no tuvo mejor éxito que sus compañeros.

Al fin comprendieron que el lugareño les había dado un buen chasco. Su indignación fué tanta que mejor es pasar por alto los epitetos con que adornaron el nombre del lugareño.

Éste al llegar a su casa contó las monedas de oro sobre la mesa exclamando:

—¿No lo dije esta mañana? Tiene que madrugar el que quiera engañarme.

Su mujer no dijo nada, porque era juiciosa, y sabía que el silencio algunas veces es oro.

After having drunk some bottles of wine, they called the landlady in order to pay her. The first of them got up, turned around the hat, and all anxiously awaited the effect. But nothing happened. The landlady wondering at such behaviour, said to them:

"As you have called me I believed that you were going to pay."

"Well put your hand in your pocket/pouch and you will find the money."

The landlady did so, but did not find any money.

"Confound it!" said the second young-man, a little alarmed, "You do not understand it. Give the hat to me."

The young-man took the hat, put it on and turned it from right to left. But all in vain/for nothing. The pouch of the landlady was as empty as before.

"You are some fools," shouted the third with impatience. "I am going to show you how the hat ought to be turned around."

And saying this, he turned the hat around very slowly and with much care. But he observed with great disappointment/dismay that he did not have better success than his companions.

At last they understood that the villager had played a good trick on them. Their indignation was such that it is better to pass over the epithets with which they adorned/graced the name of the villager.

The latter on arriving at his house counted the coins of gold upon the table exclaiming:

"Did I not say it this morning? He who may want to deceive me has to get up very early."

His wife said nothing, because she was wise, and knew that silence sometimes is gold.

32. La Niña Del Vigía

Un faro es un edificio muy elevado, que generalmente tiene la forma de una torre, con un gran fanal en la parte superior. Este fanal se enciende todas las noches, y como su luz recibe considerable aumento con la ayuda de lentes y de grandes reflectores, puede ser vista á una distancia considerable, y guiar de esta manera á los navegantes durante la noche.

Los faros se colocan generalmente en las rocas más elevadas, cerca de la orilla del mar, ó en los puntos en que hay peligro para los buques.

Hay hombres encargados de cuidar los faros; que viven en ellos y encienden todas las noches aquella fanal. Estos hombres se llaman vigías, y tienen que ser empleados sumamente fieles.

En uno de los faros de la costa de Valencia vivían un vigía y su hija única, niña de unos ocho años, que se llamaba Mariquita. El faro estaba situado en un peñasco que sólo se unía á la tierra firme por medio de una calzada estrecha, construida sobre una lengua baja de arena y rocas. No se podía atravesar esta calzada sino durante un espacio de tres horas, dos veces al día, pues durante todo el tiempo restante estaba cubierta por las aguas que crecían con la marea. Una tarde el vigía cruzó la calzada para comprar algunas provisiones, dejando sola á su hijita en la torre del faro.

Mientras el padre apresuraba el paso hacia el pueblo vecino, tres hombres de mala traza, ocultos detrás de unas rocas, espiaban sus movimientos. Eran raqueros, gente que vive del saqueo de los buques que naufragan en las costas.

Sabiendo ellos que los buques que habían de pasar aquella noche, se estrellarían contra los arrecifes si el fanal no les advertía el riesgo, y que entonces tendrían ellos una buena presa, se propusieron apoderarse del vigía.

32. The Little Girl Of The Watchman

A lighthouse is a very high building, that generally has the form of a tower, with a great lantern in the upper part. This lantern is lit every night, and as its light receives considerable increase with the aid of lenses and large reflectors, it is able to be seen at a considerable distance, and to guide in this way the sailors during the night.

The lighthouses are placed generally on the highest rocks, near to the shore of the sea, or on the points at which there is danger for the boats.

There are men in charge of caring for the lighthouses; that live in them and every night light up that lantern. These men are called keepers/watchmen, and they have to be extremely faithful employees.

In one of the light-houses on the coast of Valencia lived a keeper and his only daughter, a little girl of some eight years, who was called Mariquita. The light-house was situated on a rocky-outcrop that was only united/connected to the mainland by means of a narrow causeway, constructed over a low strip (tongue) of sand and rocks. This causeway was not able to be crossed except during a space of three hours, two times a day, because during all the remaining time it was covered by the waters that rose with the tide. One afternoon the keeper crossed the causeway in order to buy some provisions, leaving his little daughter alone in the tower of the lighthouse.

Whilst the father hastened his steps towards the neighbouring town, three men of evil appearance, hidden behind some rocks, spied on his movements. They were wreckers, people who live by plundering the ships that shipwreck on the coasts.

Knowing that the ships, which had to pass that night, would crash against the reefs (of rocks) if the lighthouse-lantern did not warn them of the risk, and that then they would have a good catch/prey, they proposed to seize-hold of the keeper.

Llegado que hubo éste á la costa; salieron los raqueros de su escondrijo y le derribaron al suelo; le ataron de pies y manos, y le dejaron bajo la custodia de uno de ellos, mientras los demás se dirigían á la playa.

Mariquita entretanto esperaba impaciente la vuelta de su padre. La noche se acercaba, y había barruntos de tempestad, pues ya se veían las olas estrellarse contra las rocas y se oía el viento bramar alrededor de la torre.

Dieron las seis; y la niña no ignoraba que pronto la marea subiría. Dieron las siete; miró á la costa, pero no vió á su padre. Á las siete y media ya la marea llegaba al borde de la calzada; sólo las cimas de las más altas rocas se descubrían sobre el nivel del mar, y muy pronto todo desapareció debajo de las turbulentas aguas.

—¡Papá! ¡Papá mío!—exclamó la acongojada niña— ¿dónde estás? ¿me has olvidado?

En este momento se acordó de que era hora de encender las lámparas; pero ¿qué podía hacer la pobre niña; estando las mechas demasiado altas para su estatura?

Cogió unos cuantos fósforos é hizo luz; probó si con una escalera podía alcanzar al lugar apetecido, pero aunque la puso sobre una mesa, vió que todavía le faltaba un poco para llegar á las mechas.

Ya iba á sentarse descorazonada y afligida, cuando se acordó de un gran libro en que su padre acostumbraba leer; lo trajo, y colocándolo debajo de la escalera, la elevó lo suficiente para poder encender las mechas.

Los rayos de luz del fanal se derramaron sobre la expansión de las aguas, ya embravecidas por la tempestad, y los buques pudieron evitar aquella noche el peligro que los amenazaba.

En cuanto vieron los raqueros que el fanal estaba encendido, pusieron en libertad al vigía y huyeron de aquel sitio. La mañana siguiente, como ya había bajado la marea, el vigía pudo llegar al faro, donde su hijita se arrojó á sus brazos y le contó los trabajos que había pasado aquella horrenda noche en la torre del fanal.

The latter had arrived at the coast; the wreckers came out of their hiding place and they threw him to the ground; they tied him up hands and feet, and they left him under the watch/custody of one of them, whilst the rest went to the beach.

Mariquita meanwhile was waiting impatiently the return of her father. The night was approaching and there were signs of a storm, for already the waves were seen crashing against the rocks and the wind was heard to roar around the tower.

Six (o'clock) struck; and the girl was not ignorant that soon the tide would come up. Seven struck; she looked at the coast, but she did not see her father. At half past seven already the tide was arriving at the edge of the causeway; only the tops of the highest rocks were exposed (discernible) above the level of the sea and very soon all disappeared below the turbulent waters.

"Papa! My Papa!" exclaimed the distressed girl "Where are you? Have you forgotten me?"

At this moment she remembered that it was the time (hour) to light the lamps; but what was the poor girl able to do; the wicks being too high up for her height/stature?

She took some matches and made a light; she tried whether with a ladder she was able to approach the desired place, but although she put it upon a table she saw that still she lacked a little in order to come up to the wicks.

She went to sit down disheartened and afflicted, when she remembered a big book that her father was accustomed to read; she brought it, and placing it beneath the ladder, it raised her sufficiently in order to be able to light the wicks.

The rays of light of the light house lantern spread out over the expanse of the waters, now made rough by the storm, and that night the ships were able to evade the danger that menaced them.

As soon as the wreckers saw that the lantern was lit, they put the keeper at liberty and fled from that place. The following morning, as now the tide had gone down, the keeper was able to come to the lighthouse, where his little girl threw herself into his arms and related to him the works that she had carried out on that horrific night in the tower of the lantern.

33. La Ballena Del Manzanares

En el portillo de Gilimón (de Madrid) vivía un tal Alvar, que gozaba de gran celebridad en Madrid.

Alvar era la verdadera gacetilla de la villa: no había incendio, ni asesinato, ni robo, ni paliza, ni casamiento, ni bautizo, que él no supiera antes que los incendiados, ó los asesinados, ó los robados, ó los apaleados, ó los casados, ó los bautizados.

Dar el primero una noticia triste ó alegre, era para Alvar la felicidad suprema.

Ver Alvar desde su ventana, que daba al paseo de los Melancólicos, que un ladronzuelo arrebataba la capa á un melancólico, y salir desempedrando las calles de Madrid del Sur, pregonando el robo, no para tener el gusto de que acudiesen á perseguir al ladrón, sino para tener el gusto de dar la noticia antes que nadie, todo era uno.

Pero la manía de Alvar no consistía sólo en la novelería, que consistía también en pretender que sus ojos, ó su oído, ó su inteligencia, nunca se equivocaban.

Una tarde, víspera de San Isidro, discurrían dos vecinos suyos sobre si al día siguiente se le mojarían ó no las polainas al Santo, y oyendo Alvar la disputa, se acercó á dar su opinión con la seguridad con que siempre la daba. Su opinión era que al día siguiente no se le mojarían al Santo las polainas.

Como los vecinos sabían que el Santo labrador es tan aficionado á solemnizar su fiesta mojando la tierra, como los madrileños á solemnizarla mojando la palabra, pusieron en duda el pronóstico de Alvar, y éste, que era soberbio y vanidoso á más no poder, cogió berrinche.

Una hora después empezó á llover á mares, y no lo dejó en toda la noche, con gran mortificación del desmedido amor propio de Alvar.

33. The Whale Of The Manzanares (river in Madrid)

In the little gate of Gilimón (in Madrid) lived one Alvar, who enjoyed great renown in Madrid.

Alvar was the true gossip of the city; there was no fire, nor murder, nor robbery, nor beating (with a stick) nor marriage, nor baptism, that he might not know of before those burnt out, or those murdered, or those robbed, or those beaten, or those married, or those baptised.

To be the first to give news, sad or joyful, was for Alvar the supreme happiness.

For Alvar to see from his window, that opened onto the Paseo de los Melancólicos that a petty thief snatched the cloak of melancholy person (or person from the Paseo), and to go out pounding the pavements of the streets of south Madrid, proclaiming the robbery, not in order to have the pleasure that they might come to pursue to thief, but in order to have the pleasure of giving the news before anyone, was all one.

But the mania/obsession of Alvar did not consist only in the addiction to news/novelty, but consisted also in claiming that his eyes, or his hearing, or his intelligence, were never mistaken.

One afternoon, on the eve of Saint Isidro (i.e. the feast-day of the patron saint of Madrid), two neighbours of his were pondering whether if on the following day it would or not wet the saint's gaiters (i.e. would it rain), and Alvar hearing the dispute, approached to give his opinion with the certainty with which he always gave it. His opinion was that on the following day it would not wet the saint's gaiters. (San Isidro was a farm labourer and is presumed to have worn gaiters)

As the neighbours knew that Saint farm-worker is as fond of solemnizing his feast by moistening the ground, as the residents of Madrid of solemnizing it by moistening the word (i.e. by taking a drink), they put in doubt the prediction of Alvar, and the latter, who was proud and vain in the extreme, flew into a rage.

An hour afterwards it began to rain in floods (lit: seas), and did not stop all night, to the great mortification of the excessive self-esteem of Alvar.

Al amanecer, el Manzanares bramaba de coraje por no tener á mano á los que le habían llamado aprendiz de río y otras picardías por el estilo, y Alvar se plantó de pechos á la ventana para ver la riada, y para ver si el Manzanares hacía alguna cosa que mereciera contarse, pues el pobre Alvar rabiaba por desquitarse del fiasco que había hecho, metiéndose á meteorólogo.

El encargado de la sucursal del cosechero de Móstoles oyó, aquella misma mañana un gran ruido hacia la praderita interpuesta entre su ventorrillo y el río, y al asomarse á la ventana vió que el río acababa de invadir la pradera y se llevaba las cubas vacías.

De dos saltos se plantó á orilla de la furiosa corriente, y empezó á hacer sobrehumanos esfuerzos á ver si podía salvar las cubas; pero las cubas continuaban navegando río abajo.

El tabernero, ya junto al puente de Toledo, cuando iba perdiendo toda esperanza de rescatarlas y se cansaba de seguirlas, vió á la orilla opuesta á dos de sus mejores parroquianos y les hizo señas para que se lanzaran al río á detenerlas; pero los parroquianos le contestaron, también por señas, que no se atrevían. Era tal el ruido del río, que no era posible entenderse más que por señas; pero el tabernero, creyendo que aquel par de borrachos no se resistirían á lanzarse al agua si les decía que del agua sacarían vino, empezó á gritarles con toda la fuerza de sus pulmones:

—¡Una va llena! ¡una va llena! (n.b. He pronounces the 'v' like 'b')
Oir Alvar este grito, exhalar otro de sorpresa y alegría, y lanzarse á la calle, todo fué uno. En cuatro minutos recorrió el barrio gritando:
—¡Una ballena en el Manzanares! ¡Una ballena!
Y en seguida tomó la puerta de Toledo y corrió hacia el río, para tener la gloria de ser el primer madrileño que viese la ballena que bajaba por el Manzanares.

At dawn, the Manzanares roared with spirit/fierceness for not having to hand those who had called it an apprentice of a river and other cheeky-insults of the same kind, and Alvaro planted himself chest against/ leaning upon the window in order to see the flood, and in order to see if the Manzanares was doing anything that might merit being related, for poor Alvar was in a rage to recover from the fiasco he had made, setting himself up as a weather forecaster.

The person in charge of the branch-premises of the (wine) harvester from Mosteles (city to south-west of Madrid) heard that same morning a great noise towards the little meadow lying between his small inn and the river, and on looking out of the window he saw that the river had just invaded the meadow and was carrying away the empty casks.

With two leaps he got/planted himself on the bank of the furious current, and began to make superhuman efforts to see if he was able to save the casks; but the casks continued sailing down river.

The innkeeper, already next to the Toledo bridge, when he was losing all hope of recovering them and was tiring of following them, saw on the opposite bank two of his best regular-customers and he made them signs that they should rush into the river to detain them/hold them back; but the customers replied to him, also by signs, that they did not dare. The noise of the river was such, that it was not possible to be understood more than by signs; but the innkeeper, believing that the pair of drunks would not resist rushing to the water if he told them that from the water they would take out wine, began to shout to them with all the strength of his lungs:

"One goes full! One goes full!"

For Alvar to hear this shout, to exhale/breathe out another of surprise and joy, and to rush out into the street, was all one. In four minutes he ran through the district shouting:

"A whale in the Manzanares! A whale!"

And immediately he passed through the Toledo gate and ran towards the river, in order to have the glory of being the first Madrileño that might see the whale that went down the Manzanares.

Entretanto, Madrid estaba alborotado, porque aquella sorprendente noticia había corrido con la celeridad del relámpago desde la puerta de Toledo á la de Santa Bárbara, desde la puerta de Alcalá á la de Segovia, y desde el Salitre á las Maravillas.

Y el pueblo de la coronada villa del oso, armado de escopetas, de redes, de hachas, de ganchos, de piquetas, de cuchillos, de navajas de afeitar, de sierras,... afluía en inmenso tropel, estrujándose y despachurrándose hacia el Manzanares, cuyos bufidos creía ser los del enorme cetáceo.

Alvar, que llegó á la orilla del Manzanares un poco antes que los dos más ligeros, vió al tabernero, que había anunciado la aparición de la ballena, al pie de un gran ribazo contemplando sus cubas, que desaparecían allá á lo lejos entre los tumbos de la corriente.

—¿Por dónde va la ballena?—le preguntó con ansia indecible.

—¿Qué ballena?—replicó el tabernero.

—¿No has gritado que iba por el río abajo una ballena?

—No hay tales carneros. Lo que yo he dicho es que de las cubas que me lleva el río, una va llena.

—¡Yo te enseñaré á no pronunciar la V como se pronuncia la B! exclamó Alvar bramando de cólera. —Toma, y anda á burlarte de la cabra de tu madre!

Y enarbolando el bastón, empezó á medir las costillas al tabernero, que gritaba:

—¡Socorro! ¡Que me matan! ¡Que me dan de palos!

En aquel instante asomaron al ribazo los dos primeros curiosos, de las inmensas turbas que se agolpaban hacia el río.

—¿Quién da de palos?—preguntaron los segundos, que no alcanzaban aún á ver el sitio de la paliza.

Meanwhile Madrid was in uproar, because that surprising news had run with the celerity/swiftness of lightning from the Toledo gate to that of Saint Barbara, from the Alcalá gate to that of Segovia, and from Salitre to Maravillas.

And the people of the crowned city of the bear (n.b. The arms of Madrid show a bear standing up against a strawberry-tree and the crest is a crown) armed with shot-guns, with nets, with axes, with hooks, with pickaxes, with knives, with razors, with saws.... flowed in an immense throng, pressing and crushing themselves towards the Manzanares, whose roars they believed to be those of the enormous cetacean (marine mammal).

Alvar, who arrived at the bank of the Manzanares a little before the two most swift, saw the innkeeper, who had announced the appearance of the whale, at the foot of a big embankment contemplating his casks, that were disappearing there in the distance among the tumbles of the current.

"Where goes the whale?" he asked him with unspeakable eagerness.

"What whale?" replied the innkeeper.

"Have you not shouted that a whale was going down the river?"

"There is no such thing (lit. such mutton). What I have said is that of the casks that the river carries away from me, one went full."

"I will teach you not to pronounce the V as the B is pronounced!" exclaimed Alvar bellowing with rage. "Take that, and go on to mock the goat of your mother!"

And raising his stick, he began to measure (i.e. to beat) the ribs of the innkeeper, who shouted:

"Help! They are killing me! They are giving me blows (with sticks)"

At that instant, the two first curious, of the immense crowds that rushed towards the river, appeared on the embankment.

"Who is giving blows?" asked those following, who did not manage even to reach the place of the beating.

103

—Alvar da, Alvar da—contestaron los que lo veían.

Y esta voz, con una pequeña modificación, recorrió en un instante la multitud hasta la puerta de Toledo.

La pequeña modificación consistía en haberse convertido la frase «Alvar da» en *albarda*.

El pueblo de la villa del oso tornó inmediatamente á sus hogares, reconociendo que merecía empinarse á un madroño por haber creído que el Manzanares arrastraba una ballena cuando arrastraba una albarda.

Y cuentan que el mismo Alvar formó, desde aquel día, tan pobre idea de sí propio, que cada vez que oía á las verduleras de Leganés decir: «¡Arre, borrico!» lo tomaba por una alusión personal.

34. ¿Cuántos años tiene?

Examinando a una señora como testigo de un pleito, el juez le preguntó cuántos años tenía.

—Treinta—respondió.

—¡Treinta!—observó el juez.—Hace tres años que declaró Vd. la misma edad en este juzgado.

—Es—respondió ella—que no soy de esas personas que hoy dicen una cosa y mañana otra.

"Alvar gives (them), Alvar gives" replied those who saw it.

And this cry, with a small modification, in an instant, ran through the multitude up to the Toledo gate.

The small modification consisted in having converted the phrase "Alvar gives" into *packsaddle*. (i.e. "Alvar da' to 'albarda' due to the V in Alvar being pronounced as a B)

The people of the city of the bear returned immediately to their homes/hearths, recognising that they deserved to stand-on-tiptoe against a strawberry-tree (i.e. they had been bears to believe the story of a whale and, as bears, deserved to stand against a strawberry-tree like the bear in the Madrid coat of arms) for having believed that the Manzanares was sweeping along a whale when it was sweeping along a packsaddle.

And they relate that the same Alvar, from that day, formed such a poor idea of himself, that each time that he heard the greengrocers of Leganés (a city near Madrid) say 'Gee-up, donkey!' he took it as a personal allusion.

34. How old are you?

Examining a lady as witness in legal case, the judge asked her how old she was.

"Thirty" she replied.

"Thirty!" observed the judge. "Three years ago you declared the same age in this court."

"(The fact) is" she replied "that I am not one of those persons that today say one thing and tomorrow another."

35. El Mosquito

En un país donde nunca hacía frío ni jamás era excesivo el calor, siendo constante la primavera, reinaba un príncipe muy bueno, que, por serlo, era amado de su pueblo. Tuvo este príncipe un hijo, y al saberse la noticia tocaron las campanas de todas las aldeas, la gente se puso los vestidos domingueros, se adornaron los balcones con tapices y damascos, y los más pobres colgaron los cubre-camas menos deteriorados, ya que no tenían cosa mejor con que demostrar su alegría; y si por la noche no hubo iluminaciones, se debió a que entonces no se violentaban las leyes de la naturaleza y se dedicaba la noche al descanso y el día al trabajo, con lo cual era perfecta la salud de todos, tanto que era cosa rara morir de enfermedad, pues allí se moría de vejez.

Como aquel príncipe protegía mucho la agricultura y tenía prohibido molestar a los pájaros, también las flores, las aves y los insectos quisieron demostrar su contento: las rosas y las azucenas dieron sus más tiernas y olorosas hojas para llenar el colchón que, con destino a la cama, tejieron los gusanos de seda y cubrieron de caprichosos dibujos las hormigas; tarea que se les encomendó por ser muy laboriosas, y que desempeñaron sirviéndoles de pinceles sus antenas cubiertas de polen, que gustosas les habían proporcionado las flores. Las mariposas se recortaron las alas y las abejas unieron con miel los pedazos, formando los pañales del recién nacido.

Los pájaros descolgaron una telaraña muy grande que estaba en lo más alto de un roble; pidieron a cada flor una gotita de néctar para lavarla y al sol sus más hermosos rayos para teñirla, y formaron el pabellón de la cuna. Y, por último, los mosquitos acordaron tener siempre uno de guardia alrededor de ella, para avisar a los demás que en aquella cuna estaba el hijo del príncipe y no le molestaran con sus zumbidos ni con sus picadas. El día del bautizo, el príncipe hizo muchas limosnas, pues se dijo que las oraciones de los pobres atraerían la bendición de Dios sobre el recién nacido.

35. The Mosquito

In a country where it was never cold and nor ever was the heat excessive, being constantly the spring, reigned a very good prince, who, for being so, was loved by his people. This prince had a son, and on learning the news, they rang the bells of all the little-villages, the people put on their Sunday clothes, and they decorated the balconies with tapestries and damask silks, and the poorest hung out their least worn coverlets, since they did not have anything better with which to demonstrate their joy; and if through the night there were no illuminations, it must have been that then the laws of nature were not violated and the night was devoted to rest and the day to work, with which the health of all was perfect, so that it was a rare thing to die of illness, for there one died of old age.

As that prince protected agriculture a lot and the disturbing of birds was forbidden, also the flowers, the birds and the insects wanted to demonstrate their happiness: the roses and the lilies gave their most tender and fragrant leaves in order to fill the mattress that, for the purpose of the bed, the silk worms spun and the ants covered with capricious drawings; a task that was entrusted to them for being very hardworking, and that they carried out, serving them as brushes their antennae covered with pollen, that the flowers had gladly supplied to them. The butterflies clipped their wings and the bees joined the pieces together with honey, forming the swaddling clothes of the recently born.

The birds took down a very big spiders-web that was in the highest point of an oak; they asked from each flower a droplet of nectar in order to wash it and from the sun its most beautiful rays/beams in order to dye it, and they formed the canopy of the cradle. And lastly, the mosquitos agreed always to have one on guard around it, in order to warn the others that in that cradle was the son of the prince, and they should not disturb him with their buzzing nor with their bites. The day of the baptism, the prince gave/made many alms/charitable gifts, for he said that the prayers of the poor would attract the blessing of God upon the recently born.

Cuidó el príncipe con mucho esmero de la educación de su hijo, deseoso de que fuera un padre para sus pueblos; pero como la lisonja es muy sutil y muy traidora, tanto que por todas partes se mete, tomando diversas formas por no ser conocida, en particular la de la modestia, fue el caso que a medida que el principito iba creciendo en años, también iba creciendo en vanidad y orgullo, porque los cortesanos le hicieron creer que era el más guapo, el más sabio, el más fuerte, el más audaz y el más bueno de todos sus contemporáneos. No era feo, pero tampoco era extraordinaria su hermosura; no era tonto, pero su edad no le permitía ser sabio; la fuerza era nominal, como la audacia; pero en cambio su bondad era real, si bien la deslucía el orgullo, que es tan negro y pestilencial que una gota basta para convertir en cenagosa el agua más cristalina.

Compadecía los males ajenos y procuraba remediarlos y hacía limosna a los pobres. En cierta ocasión vio a una mujer anegada en llanto, y al saber que su desesperación procedía de que eran tantos sus males como escasos los bienes, le dió unas cuantas monedas de oro que llevaba en el bolsillo. Y casi se arrepintió de habérselas dado, porque la pobre no le dijo, como los cortesanos, que era muy hermoso y sabio; pero en cambio le llenó de bendiciones, que valen más que frases aduladoras.

Fue el caso que, ya crecido el principito, resolvió su padre completar su educación; y consultados los cortesanos, éstos le dijeron que era conveniente recibiera lecciones de una águila, porque el águila es la reina de las aves, remonta su vuelo hasta el sol y tiene bajo su mirada a todos los demás seres y a la naturaleza entera; siendo, por lo tanto, muy conveniente que en su ejemplo, se inspirara el que estaba llamado a reinar.

Creyó el padre a pies juntillas lo que le decían y aceptó por bueno el consejo; y como en una montaña muy alta, que había a poca distancia, anidaba una águila muy poderosa, resolvió que allí fuera el principito, a quien casi ya podemos llamar joven;

With much care the prince looked after the education of his son, eager that he should be a father for his people; but as flattery is very subtle and very treacherous, so much so that it gets itself in everywhere, taking different forms in order not to be known, in particular that of modesty, it was the case that as the little-prince went on growing in years, so also was he growing in vanity and pride, because the courtiers made him believe that he was the most handsome, the most wise, the strongest, the most bold, and the most kind/good of all his contemporaries. He was not ugly, but neither was his beauty extraordinary; he was not stupid, but his age did not allow him to be a wise-man; his strength was nominal, like his boldness; but on the other hand, his goodness was real, although pride, which is so black and pestilential that a drop is enough in order to turn into muddy the most crystalline water, tarnished it.

He sympathized with the ills/sufferings of others and tried to remedy them and he gave alms to the poor. On one occasion he saw a woman overwhelmed/flooded with tears, and on knowing that her despair arose because they were as many her ills as scarce her possessions, he gave her some gold coins that he was carrying in his pocket. And almost he repented of having given them to her, because the poor woman did not tell him, like the courtiers, that he was very handsome and wise; but instead she filled/covered him with blessings, that are worth more than flattering phrases.

It was the case that, the little prince now grown-up, his father resolved to complete his education; and the courtiers (being) consulted, said it was advisable that he should receive lessons from an eagle, because the eagle is the queen of the birds, it takes its flight up to the sun and has beneath its gaze all other beings and the whole of nature; it being therefore very suitable that by its example, the one who was called to reign, should draw inspiration.

The father believed firmly (lit: with both feet together) what they told him and accepted as good the advice; and as on a very high mountain, that there was a little distance away, a very powerful eagle was nesting, he resolved that there should go the little prince, whom we are now almost able to call young;

avisando antes al águila y poniéndose con ella de acuerdo por medio de los halconeros de palacio, por ser gente muy entendida en todo lo que a aves se refiere.

Como había que atravesar un bosque, dispuso el príncipe que algunos cortesanos acompañaran a su hijo; pero éste les ordenó, en cuanto estuvieron lejos de la población, que se volvieran, pues quería poner a prueba la fuerza y la audacia que en tan alto grado poseía, según le habían repetido mil veces; añadiendo que con su ingenio sabría salirse de todos sus peligros y hacer frente a los contratiempos. Los cortesanos intentaron oponerse a tal resolución, porque sabían que era de mentirijillas aquello de fuerza, audacia y sabiduría, y temían las consecuencias de un mal paso; pero por lo mismo que habían hecho creer al principito que a todos aventajaba y a todos era superior, les dirigió tan colérica mirada, que se apresuraron a retroceder y entraron cabizbajos en palacio.

Motivo para ello tenían, pues el príncipe se enfadó mucho al saber que habían abandonado a su hijo, y en castigo mandó encerrarles en un calabozo, teniéndoles a pan y agua hasta que hubiese vuelto. Mientras tanto el joven se había metido en el bosque; y al hallarse solo, apoyó la mano en el puño del espadín, y moviendo la otra, exclamó con aire de valentón:

-¿Quién me toca a mí?
Un gallo que le oyó, cantó:
-¡El que está aquí!
El principito no pudo evitar cierto estremecimiento, porque nunca había oído el canto del gallo; pero se repuso y gritó:

-¡A que no saldrá!
-¡Ya se verá! ¡Ya se verá! cantó una perdiz. Esta vez tuvo miedo; miró a su alrededor y le pareció oír otra voz que le decía:

-¡Echa a correr! ¡Echa a correr! ¡Echa a correr!

110

advising beforehand the eagle and getting agreement with her by means of the falconers of the palace, being people very well-informed in all that relates to birds.

As it was necessary to go through a forest, the prince arranged that some courtiers should accompany his son; but the latter ordered them, as soon as they were far from the population/town, that they should return, because he wanted to put to proof the strength and boldness that in such high degree he possessed, according to what they had repeated to him a thousand times; adding that with his ingenuity he would know how to get out of all his dangers and tackle/face up to the setbacks. The courtiers tried to oppose such a resolution, because they knew that it was white-lies all that about strength, boldness and wisdom, and they feared the consequences of a false step; but because they had made the little prince believe that he surpassed everyone and he was superior to all, he directed/gave to them such an angry look, that they hurried to go back and they entered downcast into the palace.

Reason/motive they had for it, for the prince became very angry on learning that they had abandoned his son, and in punishment he ordered them (to be) locked up in a dungeon, keeping them on bread and water until he should have returned. Meanwhile the youngster had got himself into the forest; and on finding himself alone, he rested his hand on the hilt (also: fist) of his ceremonial sword, and waving the other, exclaimed with the air of a braggart:

"Who touches (approaches/is equal to) me?"

A cockerel that heard him, sang:

"He that is here."

The little prince was not able to avoid a certain shiver because he had never heard the song of a cockerel; but he recovered himself and shouted:

"It will not come out!"

"Indeed you will see! Indeed you will see!" sang a partridge. This time he was frightened: he looked around and he appeared to hear another voice that said to him:

"Start to run! Start to run! Start to run!"

Era una codorniz la que, con su canto, tales palabras asemejaba. El principito salió escapado y no se detuvo hasta que le faltó el aliento, cosa que se explica, pues todos los gallos, perdices y codornices se pusieron a alborotar a un tiempo; sirviéndoles de coro las demás aves, de tiples los grillos y marcando el compás millares de millones de mosquitos con sus zumbidos; todo lo cual prueba que debían estar enterados de los defectos del hijo del príncipe.

Se detuvo cuando ya no pudo correr más, y se sentó o se dejó caer, que esto no está bien averiguado, si bien se supone fue lo último; sirviéndole de silla una piedra, que a orillas de un recodo, que formaba el agua de un arroyo, había. Como se había restablecido la calma -- el reposo la devolvio al principito -- y pasado el miedo, volvió a las andadas, y como se viese en el agua, exclamó:

-Verdaderamente soy hermoso y no hay hermosura como la de mi cara.
-Más hermoso soy yo, le dijo un lirio que cerca del agua crecía.
El joven, indignado, arrancó el lirio, lo tiró en el suelo y lo pisoteó exclamando:
-¡Ahora verás si eres más hermoso!
Con tanta furia pateaba la hermosa flor, que se le fue el pie y cayó; y entonces las ranas, que lo habían presenciado todo y estaban enfadadas por la destrucción del lirio que adornaba las orillas de su morada, salieron del agua y comenzaron a saltar encima del caído, llenándole de agua y fango, cara, manos y vestidos, repitiendo: -¡Feo! ¡Feo! ¡Feo!

Se levantó como pudo; y, muy indignado, cogió un palo, resuelto a castigar a las ranas, y comenzó a descargar fuertes golpes en el agua, sin lograr otra cosa que remojarse de lo lindo; mientras las ranas, ocultas entre los juncos, le hacían esos gestos que nunca hacen los niños bien educados;

It was a quail which, with its song, made similar such words. The little prince left rapidly and did not stop until his breath failed him, something that is understandable (explains itself), because all the cockerels, partridges and the quails started to make a racket at the same time; the other birds serving them as a chorus, as treble the crickets and keeping the rhythm thousands of millions of mosquitos with their buzzing; all of which proves that they must have been informed of the defects of the son of the prince.

He stopped when indeed he was not able to run more, and he sat down or he let himself fall, something that is not well established, although one supposes it was the latter; serving him as a seat a rock that there was at the shores of a bend, that the water of a stream formed. As he had re-established his calm -- the rest returned it to the little prince -- and the fear passed, he returned to the old-ways, and as if he were seeing himself in the water, he exclaimed:

"Truly I am beautiful and there is no beauty like that of my face."

"I am more beautiful," said to him an iris that grew near the water.

The young man, indignant, pulled up the iris, threw it on the ground and trampled on it exclaiming:

"Now you will see if you are more beautiful!"

With such fury, he stamped on the beautiful flower, that his foot went/slipped and he fell; and then the frogs, that had witnessed everything and were angered by the destruction of the iris that was adorning the banks of their dwelling-place, came out of the water and began to jump on top of the fallen-person, covering him with water and sludge, face, hands and clothes, repeating: "Ugly! Ugly! Ugly!"

He got up as he was able; and, very angry, he took hold of a stick, determined to punish the frogs, and began to strike heavy/strong blows on the water, without achieving anything other than soaking himself nicely; whilst the frogs, hidden between the reeds, made at him those gestures that well-mannered children never make;

y que consisten en poner una mano a continuación de la otra, y en las narices el dedo pulgar de la derecha, moviéndolos todos. El joven se fue muy satisfecho, pero despeinado, y sucio. Mientras andaba, murmuraba:

-No hay color tan sonrosado como el de mis mejillas.

-¡Más sonrosado es el mío! le dijo una rosa.

El joven la arrancó para castigarla, pero lo hizo con tanta violencia que se clavó las espinas en las manos y de las heridas le salió mucha sangre. No escarmentado aún, repitió:

-No hay color tan rojo como el de mis labios.

-¡Más rojo soy yo! le contestó un clavel.

Iba a hacer con el clavel lo que con el lirio y con la rosa, pero de una choza que había al lado, salió un niño gritando: -No arranques mis flores.

El niño defendió su clavel y el principito le dio un bofetón. Se echó el niño a llorar; acudió el padre con un palo y el príncipe sacó el espadín, pero de nada le sirvió, pues quedó roto en dos al primer golpe; y se echó a correr. A los gritos del padre siguieron ladridos de perros, y por sus aullidos perseguido, no se detuvo hasta llegar frente a la puerta de una choza, a la que llamó; y cuando hubieron abierto, dijo a una vieja:

-Dáme inmediatamente de comer.

La vieja, que estaba hilando, paró el huso y se quedó mirando al joven, sorprendida de su tono insolente; mas como los cortesanos le habían dicho que tanta era la dignidad de su persona, que todos reconocían en él un príncipe, aunque nunca le hubiesen visto, le impacientó la tardanza y golpeó con fuerza la mesa, repitiendo la orden. Pero fue el caso que sobre aquélla dormitaba un gato, que despertó azorado, y pegó un bote, yendo a parar sobre el pecho del joven, en cuyos vestidos clavó las uñas y los desgarró. Al mismo tiempo la vieja se levantaba y con la rueca en alto se dirigió hacia él en actitud tan amenazadora, que no tuvo por conveniente esperarla.

and that consist in putting one hand after the other, and in the nostrils the thumb of the right (hand) moving them all. The young man went away very satisfied, but with hair unkempt, and dirty. Whilst he walked he murmured:

"There is no colour so rosy as a that of my cheeks."

"Mine is more rosy!" a rose said to him.

The young man tore it up in order to punish it, but he did it with such violence that he stuck the thorns in his hands and from the wounds a lot of blood came out. Still not cautious, he repeated:

"There is no colour so red as that of my lips."

"I am redder!" a carnation answered him.

He was going to deal with the carnation as with the iris and with the rose, but from a cabin that there was close-by/to the side, a young boy came out shouting: " Do not pull up my flowers."

The boy defended his carnation and the little prince gave him a hard-slap. The boy started to cry; his father came with a stick and the prince drew his ceremonial-sword, but it was of no benefit to him (served him for nothing) for it became broken in two at the first blow; and he started to run. After the shouts of the father, followed barks of dogs, and pursued by their howling, he did not stop until he arrived in front of the door of a cabin, at which he knocked/called; and when they had opened it, he said to an old woman:

"Give me something to eat immediately."

The old woman, who was spinning, stopped the spindle and remained looking at the young man, surprised by his insolent tone; but as the courtiers had told him that such was the dignity of his person, that all recognised in him a prince, although they might never have seen him, the delay made him impatient and he banged heavily on the table, repeating the order. But it was the case that upon it a cat was asleep, which awoke alarmed, and gave a jump, ending up upon the chest of the young man, in whose clothes it sank in its claws and tore them. At the same time the old woman got up and with the distaff (held) up high, headed for him with an attitude so menacing, that he did not find it advisable to await her.

115

Y otra vez se salvo, valiéndole la ligereza de sus piernas, cualidad que los cortesanos no habían ponderado, pero que era muy efectiva.

Se le vino encima la noche y se encontró solo en el bosque con mucha hambre y más miedo, y por temor a las alimañas se subió a un árbol, donde estuvo seguro, pero sin poder dormir, pues de intentarlo hubiera perdido el equilibrio con riesgo de desnucarse al caer. En cambio tuvo espacio para sus pensamientos; y recordando lo que le había sucedido, comenzó a poner en duda fuera verdad lo que los cortesanos le afirmaban; y sospechó que no era tan hermoso, tan sabio, tan audaz y tan fuerte como le habían dado a entender.

Cuando amaneció bajó del árbol, pero no sin que el roce con el tronco y con las ramas, hubiese desgarrado su vestido, que, con las manchas, los rotos y los descosidos, quedó convertido en un pingo. Vio cerca el picacho de la montaña donde anidaba el águila, y sacando fuerzas de flaqueza llegó hasta lo más alto, diciéndose que allí encontraría abundante comida, puesto que los halconeros se habían puesto de acuerdo con la reina de las aves.

Pero el águila, al verle tan estropeado y sucio, le recibió con ademán amenazador; y por más que él afirmase que era el hijo del príncipe, le replicó que era un solemne embustero a quien iba a castigar por su audacia; y al decir esto encogió las garras, abrió el pico y levantó el vuelo para caer con más fuerza sobre el joven, que se consideró perdido y comenzó a lamentarse amargamente de haber dado crédito a los aduladores.

-Yo soy la reina de las aves, chilló el águila; nada resiste a mi poder; el león no es para mí enemigo invencible y tengo a mis pies todo lo creado.

-Ésa es tan orgullosa como tú, dijo una voz, débil como un zumbido, que resonó, pegada al oído del príncipe.

And again he saved himself, being valuable to him the swiftness/lightness of his legs, a quality that the courtiers had not considered, but which was very effective.

The night came upon him and he found himself alone in the forest with great hunger and more fear, and for fear of vermin he went up a tree, where he was safe, but without being able to sleep, for by attempting it he would have lost his balance with the risk of breaking his neck on falling. On the other hand, he had space for his thoughts; and remembering what had happened to him, he began to doubt whether it were true what the courtiers asserted to him; and he suspected that he was not so handsome, so wise, so bold and strong as they had given him to understand.

When dawn came he descended from the tree, but not without the scraping against with the trunk and with the branches, having torn his clothes, which, with the stains, the tears and the broken stitching, became converted into a ragged-garment. He saw close by the peak of the mountain where the eagle nested, and drawing strengths from weakness he arrived up at the highest point, telling himself that there he would find abundant food, because the falconers had reached an agreement with the queen of the birds.

But the eagle, on seeing him so spoiled and dirty, received him with a menacing manner; and however much he might assert that he was the son of the prince, she replied to him that he was a downright cheat whom she was going to punish for his audacity; and on saying this she put out its claws, opened her beak and lifted her flight in order to fall with more force upon the young man, who considered himself lost and began to lament bitterly of having given credit to his flatterers.

"I am the queen of the birds," screamed the eagle; "nothing resists my power; the lion is not for me an invincible enemy and I have at my feet all that is created."

"That one is as proud as you," said a voice, faint like a buzzing, that resonated, close to the ear of the prince.

Volvió éste la cabeza y vio el mosquito que había velado junto a su cuna para que sus compañeros no le molestaran. Al mismo tiempo azotó su rostro un fuerte viento producido por el aleteo del águila. El mosquito añadió:

-No temas, y aprende.

Dicho esto voló hacia el águila y le clavó el aguijón en uno de los ojos. El águila lanzó un espantoso chillido y se revolvió furiosa contra su enemigo, que por evitar el atropellado movimiento de los párpados, se metió dentro de uno de los agujeros de la nariz del ave y comenzó a picarla, con lo cual ella principió a estornudar y a dar vueltas como loca, pegándose fuertes zarpazos en el pico sin lograr otra cosa que ensangrentarse. Cuando la tuvo rendida por el cansancio, el mosquito le dijo:

-¿Pactemos?

-¿Qué quieres?

-Que te estés quieta mientras este joven se marcha.

-Convenido.

-Vete, dijo el mosquito al príncipe, y no olvides las lecciones que has recibido.

El joven se apresuró a bajar la montaña, proponiéndose no volver a abrir los oídos a los aduladores y recordar siempre que él, tan orgulloso que se creía superior a todos, debía la vida a un mosquito, que había dominado a la más fuerte de las aves; lo que probaba que no hay ser despreciable en este mundo; y que si los grandes merecen ser considerados, también merecen serlo los pequeños. Sumido en sus pensamientos llegó a la puerta de una cabaña, y deteniéndose a la entrada, preguntó:

-¿Quieren hacer el favor de permitirme descansar y darme algo que comer?

Una mujer que estaba dentro le contestó afirmativamente después de haberle estado mirando con atención. Cubrió la mesa con pobres, pero blancos manteles, y le sirvió una sopa y unas patatas sazonadas con mantequilla, que era cuanto tenía, dándole después nueces e higos secos.

The latter turned his head and saw the mosquito that had kept watch next to his cradle in order that his companions should not molest him. At the same time a strong wind beat his face produced by the flapping (i.e. of the wings) of the eagle. The mosquito added:

"Do not be afraid, and learn."

This said it flew towards the eagle and stuck its sting in one of her eyes. The eagle gave out a frightening scream and turned around furious against her enemy, which in order to avoid the violent movement of its eyelids, got itself within one of the holes of the bird's nose and began to sting it, with which she began to sneeze and to spin around like a mad person, hitting herself with heavy blows on the beak without achieving anything other than covering herself with blood. When it had her exhausted with tiredness, the mosquito said to her:

"May we agree a truce/compromise?"

"What do you want?"

"That you keep still whilst this young man goes away."

"Agreed."

"Go," said the mosquito to the prince, "and do not forget the lessons you have received."

The young man made haste to descend the mountain, proposing not again to open his ears to the flatterers and to remember always that he, so proud that he believed himself superior to all, owed his life to a mosquito, that had overpowered the strongest of the birds; which proved that there is no despicable being in this world; and that if the great deserve to be considered, also the small deserve to be. Immersed in these thoughts he arrived at the door of a cabin, and stopping at the entrance he asked:

"Please would you (lit: Do you want to do the favour) allow me to rest and give me something to eat?"

A woman who was within replied to him affirmatively after having been looking at him with attention. She covered the table with poor, but white tablecloths and she served him soup and some potatoes seasoned with butter, which was all she had, giving him afterwards nuts and dried figs.

Comió el joven con mucho apetito y luego la buena mujer le dio agua para que se lavase; y como traía el vestido hecho jirones, le obligó a ponerse otro de su hijo, que en aquel momento estaba trabajando en el campo. El príncipe supuso que la mujer le había conocido y le preguntó:

-¿Sabes quién soy?

-Sólo sé que una vez te compadeciste de mí porque lloraba abrumada por mis penas, y me socorriste dándome unas cuantas monedas de oro que me libraron de la miseria. Te he conocido por tus buenas obras, y doy gracias a Dios porque me ha permitido demostrarte mi gratitud por tu buena acción.

El joven permaneció callado. Al poco rato se dispuso a salir, y al llegar a la puerta vio venir una lujosa comitiva que su padre había enviado en su busca. Sorprendida quedó la mujer al saber que había albergado el hijo del príncipe reinante, como admirados quedaron los otros al verle en aquel traje, que no quiso cambiar, empeñándose en ir con él a palacio, donde fue recibido con grandes muestras de alegría por sus padres. Se dio orden de poner en libertad a los cortesanos, pero cuando se le presentaron, les dijo el hijo del príncipe:

-Me he convencido de que al hombre sólo se le conoce y se le aprecia por sus buenas obras. Como las vuestras han sido malas, pues me habéis estado engañando, adulándome, idos y os prohíbo volváis a poner los pies en palacio.

Los cortesanos se marcharon muy mustios; el príncipe metió en su guardarropa el traje que le había dado la mujer de la choza, a la que recompensó con esplendidez; y siempre que se sentía tentado por el orgullo recordaba lo que le había pasado en el bosque, la lucha del mosquito con el águila y las palabras que la mujer le había dicho, con lo cual se le pasaban los deseos de ser vanidoso. Cuando murió el príncipe su padre, él subió al trono, gobernó con mucho acierto, y vivió muchos años feliz y dichoso.

The youngster ate with much appetite and then the good woman gave him water in order that he should wash himself; and as he was wearing his garment in tatters, she obliged him to put on another of her son, who at that moment was working in the countryside. The prince supposed that the woman had recognised him and he asked her:

"Do you know who I am?"

"I only know that once you took pity on me because I was crying overwhelmed by my sorrows, and you helped me giving me a few gold coins that freed me from my misery. I have known you for your good works, and I give thanks to God because he has allowed me to show you my gratitude for your good action.

The young man remained silent. After a little while he prepared to leave, and on reaching the door he saw coming a lavish retinue that his father had sent in his search. The woman became astonished on learning that she had sheltered the son of the reigning prince, as amazed became the others on seeing him in that dress, that he did not want to change, insisting upon going with it to the palace, where he was received with great shows of joy by his parents. The order was given to put at liberty the courtiers, but when they presented themselves to him, the son of the prince said to them:

"I have come to the conclusion (have convinced myself) that a man is only known and is appreciated for his good works. As yours have been bad, for you have been deceiving me, flattering me, go and I forbid/prohibit you from returning to set foot in the palace.

The courtiers want off very dejected; the prince put in his wardrobe the dress that the woman of the hut had given him, whom he rewarded magnificently; and whenever he felt tempted by pride he remembered what had happened to him in the forest, the combat of the mosquito with the eagle and the words that the woman had said to him, with which the desire of being vain would go away from him. When the prince his father died, he ascended to the throne and governed with much success, and lived many years happy and joyful.

36. Volverán las oscuras golondrinas

1. Volverán las oscuras golondrinas
en tu balcón sus nidos a colgar,
y, otra vez, con el ala a sus cristales
......jugando llamarán;

2. Pero aquéllas que el vuelo refrenaban
tu hermosura y mi dicha al contemplar,
aquéllas que aprendieron nuestros nombres...
.....ésas... ¡no volverán!

3. Volverán las tupidas madreselvas
de tu jardín, las tapias a escalar.
y otra vez a la tarde, aun más hermosas,
......sus flores se abrirán;

4. Pero aquéllas, cuajadas de rocío,
cuyas gotas mirábamos temblar
y caer, como lágrimas del día...
......ésas... ¡no volverán!

5. Volverán del amor en tus oídos
las palabras ardientes a sonar;
tu corazón, de su profundo sueño
......tal vez despertará;

6. Pero mudo y absorto y de rodillas,
como se adora a Dios ante su altar,
como yo te he querido..., desengáñate:
.....¡así no te querrán!

Gustavo Bécquer

36. The Dark Swallows Will Return

1. They will return, the dark swallows,
on your balcony their nests to hang,
and, again, with the wing at your windows
.... playing they will call;

2. But those that held back their flight
your beauty and my happiness to contemplate,
those that learned our names .....
..... those ..... will not return!

3. They will return, the dense honeysuckles,
of your garden, the walls to climb,
and again, in the evening, even more beautiful,
..... their flowers will open;

4. But those, curdled with dew,
whose drops we used to watch tremble
and fall, like tears of the day...
...these .... will not return!

5. They will return, of love in your ears,
the ardent words to sound;
your heart, from its deep sleep
..... perhaps will awaken;

6. But mute and absorbed and kneeling
as God is adored before his altar,
as I have loved you ..... disillusion yourself;
..... like this they will not love you!

Gustavo Bécquer

37. Cómo ¥ Por Qué Vine A Madrid

En Vigo, donde nací, daba los primeros pasos periodísticos, escribiendo en La Oliva, La Concordia y El Faro y en El Meteoro semanario satírico republicano del que fui fundador.

Mis ilusiones todas se cifraban en venir á Madrid; pero mi padre se había negado siempre á dejarme volar, alegando, entre otras razones, la muy poderosa de que carecía de los medios necesarios para sostenerme lejos del hogar.

En marzo 19-- La Política publicó un anuncio que decía así:

« D. A. B. desea un secretario particular, con nociones literarias, para acompañarle al extranjero en una comisión oficial. Hotel de París, cuarto núm. 4.»

En cuanto leí el anuncio y sin previo acuerdo de mis padres, escribí á D. A. B. diciéndole que yo era el hombre que él necesitaba, y que para ahorrarle cartas y trabajo, podía adquirir informes respecto de mi persona, dirigiéndose á D. Eduardo Chao, diputado á Cortes, ó al Sr. Urtasun, intendente militar, amigos ambos de mi familia, que, aunque me esté mal el decirlo, siempre fué honrada y bien quista.

D. A. B. contestó á los dos días diciendo :

« Muy señor mío : En vista de su carta, he adquirido informes de los Sres. Chao y Urtasun, y por ellos sé que pertenece usted á una distinguida familia. Me convienen, pues, sus servicios, y le remito una credencial de 8.000 pesetas anuales. Esto debe servir á usted de base para que se venga conmigo al extranjero en clase de secretario mío. Vamos á estudiar el sistema penitenciario en Francia, Inglaterra, Alemania, etc., por cuenta del Gobierno español.

« Póngase en camino cuanto antes y venga á verme al Hotel de París, donde resido.

«Su seguro servidor, Andrés Borrego.»

37. How And Why I Came To Madrid

In Vigo (a city on Spain's north-west Atlantic Coast) where I was born, I took my first journalistic steps, writing in La Oliva, La Concordia and El Faro and in El Meteoro, a weekly satirical republican newspaper, of which I was the founder.

All my dreams were involved (encoded) in coming to Madrid; but my father had always refused to let me fly; alleging among other reasons, the very powerful one that I lacked the means necessary to support myself far from home.

In March 19-- La Politica published an advertisement that said as follows:

'D. A. B desires a private secretary, with literary ideas/skills, in order to accompany him on an official commission. Hotel de París, room number 4.'

As soon as I read the notice and without the previous agreement of my parents, I wrote to D. A. B. telling him that I was the man that he needed, and that in order to save him letters and work, he could acquire information regarding me, directing himself/applying to Don Eduardo Chao, deputy of the Cortes (i.e. member of parliament) or to Señor Urtasun military quartermaster, both friends of my family, which, although it may be wrong of me to say it, was always honourable and esteemed.

D. A. B replied two days later saying:

'My dear sir; In view of your letter I have obtained information from Señores Chao and Urtasun, and from them I know that you belong to a distinguished family. Your services suit me then, and I send you an accreditation/confirmation for 8000 pesetas annually. This must serve as your support in order that you may come abroad with me in the position of my secretary. We are going to study the penitentiary system in France, England, Germany, etc., on behalf of the Spanish Government.

Start out (put yourself on route) as soon as possible and come to see me at the Hotel de París, where I am residing.

Yours truly Andrés Borrego.'

Al leer este nombre, experimenté una gran alegría. D. Andrés Borrego, decano de los periodistas españoles, podría proporcionarme, con su protección, fácil acceso en los periódicos; y aunque yo, desde mi pueblo, había conseguido que El Cascabel y otros semanarios de la capital publicasen algunos trabajos míos, no me consideraba feliz mientras no me viese figurar entre los redactores de planta. Llegué, pues, á Madrid, y me fui corriendo á ver al Sr. Borrego, que me dijo con una tranquilidad admirable:

— Tiene usted buena pinta ; pero ese chaqueta no me gusta nada.

Aludía á una chaqueta color de aceituna, muy de moda entonces en Vigo y que había sido hecho por un tal Zaraza, sastre famoso en todo aquel partido.

— Ahora — siguió diciendo D. Andrés, — debe usted presentarse en el Ministerio para tomar posesión de su destino, y dentro de ocho días, todo lo más, saldremos para París, que es donde debe comenzar nuestra comisión. Usted viene como secretario mío, y tendrá por dietas de viaje cinco duros diarios.

Creí morirme de jubilo y eché á correr hacia el Ministerio, donde presenté la credencial. Me pusieron en el título la toma de posesión, y después me dijo el jefe: — Ya sabe usted que mañana son los exámenes.

— ¿ Qué exámenes ? — pregunté sorprendido.

El jefe del personal, por toda contestación, me entregó un número de la Gaceta, publicado un mes antes, donde aparecía un decreto ordenando que todos los oficiales subalternos de Gobernación sufriesen examen de determinadas materias para poder continuar usufructuando sus destinos, y que los que no fuesen aprobados quedaran cesantes *ipso facto*.

Todo mi júbilo se trocó en asombro y amargura.

— ¿Y cuándo son los exámenes ? — pregunté con acento dolorido.

— Mañana.

— ¿Mañana ?

On reading this name, I experienced a great joy. Don Andrés Borrego, dean (great man) of the Spanish journalists, would be able to provide me, with his support, easy access into the newspapers; and although I, from my town, had managed that El Cascabel and other weekly newspapers of the capital, should publish some of my works, I did not consider myself happy whilst I did not see myself feature amongst the editorial staff (editors on site). I arrived, then, at Madrid, and I went running to see Sr. Borrego, who told me with an admirable calmness/ tranquillity:

"You have a good appearance; but that jacket I do not like at all."

He alluded to an olive coloured jacket, much in fashion then in Vigo and that had been made by one Zaraza, a tailor famous in all that district.

"Now" continued saying Don Andrés, "You must present yourself at the Ministry in order to take possession (to take up) of your appointment, and within eight days, at the most, we leave for Paris, which is where our commission must begin. You come as my secretary, and you will have for travelling expenses five duros daily."

I believed myself dying of delight and I set off to run towards the Ministry, where I presented the letter of confirmation. They placed on the document my taking possession (i.e. my acceptance) and afterwards the chief (clerk) said to me: "Now you know that tomorrow are the examinations."

"What examinations" I asked surprised.

The chief of staff, as his only answer, handed me a number/copy of the Gazette, published a month earlier, where a decree appeared ordering that all the lower-rank clerks of the Government should undergo an examination of specified subjects in order to be able to continue enjoying their appointments, and that those that were not approved/passed should become dismissed *ipso facto*.

All my delight changed into amazement and bitterness/sorrow.

"And when are the exams?" I asked in a pained tone.

"Tomorrow."
"Tomorrow?"

127

Salí del Ministerio medio loco ; busqué una librería; adquirí un ejemplar de la gramática, otro de la geografía y otro de la aritmética, y me pasé la noche leyendo,

Á las diez de la mañana del siguiente día daban comienzo los exámenes en el piso bajo del Ministerio de Fomento.

Presidía el tribunal el Sr. Ferrer del Río, literato, historiador y alto empleado del Ministerio de la Gobernación. Jamás me pareció hombre alguno tan feo y antipático como aquel presidente que me dirigía miradas escudriñadoras.

—¡ Santo Cielo ! — pensaba yo. — ¿ Por qué me mirará así?

Después supe que lo que producía su curiosidad era mi chaqueta color de aceituna y mi aire de chico provinciano.

Yo no conocía á nadie y buscaba con los ojos una cara simpática entre todas aquéllas que me rodeaban. Por fin hubo una que me pareció mejor que todas las demás. Era la de Federico Sánchez Monje, un muchacho muy cariñoso, que al ver mi azoramiento y mi zozobra, me preguntó:

— Usted no es de Madrid, ¿ verdad ?

— No, señor ; soy de Vigo.

— ¿ Hace mucho que ha venido usted ?

— Veinticuatro horas.

— ¿Y está usted bien preparado para los exámenes ?

— No, señor; hasta ayer á las doce no supe que me tenía que examinar.

— ¡Caramba! — replicó Sánchez Monje. — Pues no doy dos cuartos por su destino. Dicen que el tribunal es muy escrupuloso y muy rígido. Yo me he pasado todo el mes estudiando sin cesar, y aun así no me considero seguro. . .

Cuando estábamos en esto, el secretario del tribunal dijo:

— Se va á proceder al ejercicio ortográfico al dictado. Prepárense ustedes á escribir.

Cogimos pluma y papel y prestamos atención. El secretario comenzó así :

I went out of the Ministry half crazy; I looked for a bookshop; I acquired a copy of the grammar, another of the geography, and another of the arithmetic, and I passed the night reading.

A ten o'clock of the following day the examinations began in the ground floor of the Ministry of public works.

Señor Ferrer del Río, a man of letters, a historian and high employee of the Ministry of the Interior, presided at the tribunal/examining board. Never appeared to me any man so ugly and unfriendly as that president who directed searching looks at me.

"Holy Heaven!" I thought. "Why will he look at me like that?"

Afterward I knew that what produced his curiosity was my olive colour jacket and my air of a provincial boy.

I did not know anyone and I looked with my eyes for a sympathetic face amongst all those who surrounded me. At last there was one who seemed to me better than all the rest. It was that of Federico Sánchez Monje, a very kind lad, who on seeing my embarrassment and my anxiety, asked me:

"You are not from Madrid, true?"

"No, señor, I am from Vigo."

"Is it a long time since you came here?"

"Twenty-four hours."

"And are you well prepared for the exams?"

"No, señor; until yesterday at twelve o'clock I did not know that I had to take examinations."

"Gosh!" replied Sánchez Monje. "Well I do not give two bits (quarters) for your fate/appointment. They say that the tribunal is very scrupulous and rvery igorous. I have passed all the month studying without ceasing, and even so I do not consider myself safe/secure........."

Whilst we were (engaged) in this, the secretary of the tribunal said:

"The spelling exercise is going to proceed at dictation. Prepare yourselves to write."

We took pen and paper and paid attention. The secretary began thus:

«El capitán se desojaba ojeando las hojas de un manuscrito. Se revelaban en él, hora tras hora, ora sus culpas, ora sus dolores, espiando á los que expiaban sus delitos, ¡ Ay ! — decía — si hay ahí, etc.»

Después de este ejercicio enrevesado, llegó el de las preguntas de gramática, geografía y aritmética, que teníamos que contestar por escrito. Después el de copia y redacción de documentos y otros.

Los exámenes duraron tres horas largas, y que al día siguiente...

Al día siguiente, y con gran sorpresa mía, leí en una lista fijada en el Ministerio de la Gobernación que mis ejercicios habían sido aprobados.

Lleno de júbilo abracé á Sánchez Monje, única persona del Ministerio á quien conocía, y después de comunicar á D. Andrés Borrego el feliz resultado de los exámenes, me fui á tomar un sorbete y á comprarme una chaqueta negro, ribeteado de trencilla á la calle de Preciados.

Y de este modo original hice mi entrada en Madrid.

38. Los Bienes Y Las Glorias De La Vida

Los bienes y las glorias de la vida,
o nunca vienen o nos llegan tarde.
Lucen de cerca, pasan de corrida,
los bienes y glorias de la vida.
¡Triste del hombre que, en la edad florida,
coger las flores del vivir aguarde!
Los bienes y las glorias de la vida
o nunca vienen o nos llegan tarde.

Manuel González Prada

"The captain strained-his-sight staring at the leaves of a manuscript. They revealed themselves in it, hour after hour, now their faults, now their sufferings, spying on those who atoned for their crimes. 'Oh!' he said, 'If there are here, etc.,"

After this difficult exercise, came that of the grammar questions, geography and arithmetic, that we had to answer in writing. Afterwards that of copying and drafting of documents and others.

The examinations lasted three long hours, and on the next day...

On the next day, and to my great surprise, I read in a list posted in the Ministry of the Interior that my exercises had been approved/passed.

Full of joy I hugged Sánchez Monje, the only person at the Ministry whom I knew, and after communicating to Don Andrés Borrego the happy result of the examinations, I went to take an iced-sherbet, and to buy myself a black jacket, bound with braid in Preciados Street,

And in this original manner I made my entrance into Madrid.

38. The Riches And The Delights/Glories Of Life

The riches and the delights/glories of life,
either they never come or they reach us late.
They shine close by, they pass by quickly (at a run)
the riches and the delights/glories of life.
Sad the man who, in the time of flourishing,
may delay picking the flowers of life!
The riches and the delights/glories of life,
Either they never come or they reach us late.

Manuel González Prada

39. El Último Juguete

Quien bien siembra bien recoge.

Pepito era ya casi un hombre. Doce años acababa de cumplir. Había terminado sus estudios de primera enseñanza, y se iba a matricular para el primer curso de latín. Su padre le había dicho que, debiendo dedicarse en lo sucesivo a estudios que exigirían toda su atención, debía despedirse de sus juguetes, que podían distraerle de sus obligaciones, y que no eran ya propios de un estudiante de segunda enseñanza.

—Conserva uno, si quieres, para recuerdo,—le dijo;—pero los restantes, es preciso que hoy mismo los repartas entre tus hermanos.

Pepito no replicó: se fué silencioso y triste al cuarto de los juguetes; abrió la ventana que daba al jardín, y un brillante rayo de sol entró en la pequeña estancia, llenándola de luz. Había allí un verdadero almacén de armas de guerra... de guerra infantil.

Se veían por todas partes caballitos, sables de varias formas, fusiles, pistolas, cascos, lanzas, banderas, cinturones, cornetas, pelotas, bicicletas, tambores, carros, cañones pequeños, etc., todo revuelto y en gracioso desorden. Pepito contempló durante un breve rato aquellos objetos, y dijo suspirando:

—¡Es bien triste dejar todo eso!

Fué después examinando uno por uno aquellos queridos compañeros de sus más puras alegrías, acarició los caballos, manejó las armas, jugó a la pelota, se probó algunas gorras que ya no se ajustaban bien a su cabeza, y finalmente vistió su elegante uniforme de húsar, que nunca le había parecido tan bello y airoso como en aquel instante en que lo lucía por última vez. Sintió entonces grandes deseos de llorar.

¡Tan grande era la angustia que sentía, tan viva la emoción que le dominaba! Pensó luego en escoger uno de aquellos juguetes, que le eran igualmente queridos, y permaneció indeciso largo tiempo.

39. The Last Toy

Who sows well reaps well.

Pepito was now almost a man, He had just reached twelve years (of age). He had finished his studies of primary education, and he was going to matriculate/enrol for the first course of latin. His father had told him that, being obliged to dedicate himself in the future to studies that would demand all his attention, he ought to say goodbye to his toys, that they were able to distract him from his obligations/duties, and that they were not now proper for a student of secondary education.

"Keep one, if you like, as keepsake," he told him; "but the rest, it is necessary that this very day you should share them amongst your brothers."

Pepito did not reply: he went silent and sad to the toy room; he opened the window that looked-out onto the garden, and a bright sunbeam/ray of sun entered into the small room, filling it with light. There was there a true storehouse of weapons of war... of childish warfare.

Everywhere were seen little horses, sabres of various forms, muskets, pistols, helmets, lances, flags, belts, bugles/cornets, balls, bicycles, drums, carts, small cannons, etc., all topsy-turvy and in pleasing disorder. During a brief while Pepito contemplated those objects, and said sighing:

"It is very sad to give up all this!"

Afterwards he went examining one by one those dear companions of his most pure joys, he stroked the horses, handled the weapons, played with the ball, tried on some caps that now did not fit his head well, and finally dressed in his elegant uniform of a hussar, that never had seemed to him so beautiful and graceful as in that instant in which he sported it for the last time. He felt then a great desire to cry.

So great was the anguish that he felt, so lively the emotion that dominated him! He thought then of selecting one of those toys, that were to him equally loved, and he remained undecided a long time.

Lo primero que apartó de sí fueron los uniformes, luego volvió la espalda a los caballos, a los sables, a los bicicletas, y poco a poco fué apartándose de los demás juguetes con heróica resignación, fijando por fin su preferencia en una preciosa caja de colores, quizá porque era el más útil de sus juguetes. Contenía colores para pintar a la aguada y al óleo, platillos de porcelana para fundir y mezclar los colores, pinceles, lápices, y cuanto se necesita para pintar o para imitar jugando a los pintores.

Pepito la cogió cariñosamente y bajó con ella al jardín. Se sentó en un banco próximo a la verja, y allí estuvo largo rato pensando en los amigos que acababa de dejar.

—¡Cómo los romperán mis hermanos!— pensaba.— ¡Pobres caballos! ¡Pobres uniformes! ¡A buenas manos iréis a parar!

Pensando en esto se afligía Pepito, y cada vez que se le escapaba algún sollozo, dirigía su vista a la caja que tenía abierta a su lado, y la miraba con infinita ternura, como si buscase, en aquel conjunto de esmaltes y colores, una idea brillante y alegre que serenase su imaginación. De pronto una voz lastimera le sacó de sus reflexiones. Pepito volvió la cabeza hacia el sitio de donde partía, y vió junto a la verja una mujer, con un niño en sus brazos.

—Señorito,—le dijo,—mi niño tiene hambre: déme usted una limosna, por Dios.

Luego la pobre mujer siguió llorando, y Pepito se conmovió profundamente. Todo cuanto tenía le parecía poco para aliviar aquel gran dolor, y no hallando a mano cosa de más estima, tomó su caja de colores y la entregó a la infeliz madre, diciendo:

—Cójala usted; algo le darán por ella: es todo lo que tengo aquí.

—¡Ay, señorito! — exclamó la mujer —¿Dónde voy a ir con esto? ¡Creerán que la he robado!

Pero el padre del generoso niño, que había presenciado, sin ser visto, la conmovedora escena, se apresuró a decir:

The first that he separated himself from, were the uniforms, then he turned his back on the horses, the sabres, the bicycles, and little by little he went on separating himself from the rest of the toys with heroic resignation, fastening at last his preference on a precious paint box (box of colours), perhaps because it was the most useful of his toys. It contained colours in order to paint in water-colours and in oil, small porcelain dishes in order to melt and mix the colours, paintbrushes, pencils, and all one needs in order to paint or to imitate playing at painters.

Pepito took it affectionately and went down with it to the garden. He sat on a bench close to the iron gate, and was there a long time thinking about the friends that he had just left.

"How my brothers will break them!" he thought, "Poor horses! Poor uniforms! In good hands you are going (will go) to end up!"

Thinking of this grieved Pepito, and each time that some sob escaped him, he directed his gaze to the box that he had open at his side, and he looked at it with infinite tenderness, as if he were looking for, in that collection of enamels/pigments and colours, a bright and happy idea that might sooth his imagination. Suddenly a sad voice brought him out of his reflections. Pepito turned his head towards the place from where it came, and saw next to the iron-gate a woman with a child in her arms.

" Señorito," she said to him, "my child is hungry; give me alms, for God."

Then the poor woman continued crying, and Pepito was deeply moved. All he had seemed little in order to relieve that great suffering, and not finding to hand a thing of more value, he took his paint box and handed it to the unhappy mother, saying:

"Take it; they will give you something for it; it is all that I have here."

" Alas, señorito!" exclaimed the woman "where am I going to go with this? They will believe that I have robbed it!"

But the father of the generous boy, who had witnessed the moving scene, without being seen, hastened to say:

—No, ¡pobre mujer, usted puede aceptarla, que yo se la compraré!

Y puso en la mano de la mujer un puñado de monedas de plata, recogiendo el estuche que Pepito acababa de entregarla.

El padre entonces abrazó a su hijo, con gran emoción.

—Guarda—le dijo—tu último juguete: si alguna vez te desprendes de él, que sea para hacer una buena obra.

Pepito guardó por mucho tiempo su caja de colores. Había terminado ya, con provecho, sus estudios y era además un notable pintor. Una tarde abrió aquella caja de colores, y le impresionó vivamente el recuerdo de aquella triste tarde en que iba a despedirse de objeto tan querido. Tomó entonces sus pinceles y trazó con ellos un cuadro lleno de emoción y de belleza, que contribuyó mucho a su celebridad de artista.

Llegaron a ofrecerle por este cuadro grandes sumas y nunca lo quiso vender.

Representaba la escena del jardín, que tan profundamente le había impresionado, y le había puesto el título de El Último Juguete.

40. Algo Me Dicen Tus Ojos

Algo me dicen tus ojos;
mas lo que dicen no sé.
Entre misterio y sonrojos,
algo me dicen tus ojos.
¿Vibran desdenes y enojos,
o hablan de amor y de fe?
Algo me dicen tus ojos;
mas lo que dicen no sé.

Manuel González Prada

"No, poor woman, you can accept it, for I will buy it from you!"

And he put in the hand of the woman a handful of silver coins, recovering the box that Pepito had just finished giving her.

The father then hugged his son with great emotion.

"Keep it" he said to him, "your last toy; if any time you part with it, may it be in order to do a good work."

Pepito kept his paint box for a long time. He had finished now, with advantage, his studies and was moreover a noteworthy painter. One afternoon he opened that paint box, and the memory of that sad afternoon in which he was going to take leave of an object so loved, impressed/affected him vividly. He took then his paintbrushes and sketched with them a picture full of emotion and of beauty, that contributed much to his fame/celebrity as an artist.

They came to offer him great sums for this picture and never did he want to sell it.

It represented the scene in the garden, that so deeply had affected him, and he had given it the title of The Last Toy.

40. Your Eyes Tell Me Something

Your eyes tell me something;
but what they say I do not know.
Between mystery and blushes,
your eyes tell me something.
Are disdain and anger pulsating,
or do they tell of love and of confidence (faith)?
Your eyes tell me something;
but what they say I do not know.

Manuel González Prada

137

41. El Peral

Recuerdo que a la salida de mi pueblo había un hermosísimo peral que daba gusto verle. No lejos se hallaba situada la casa del dueño, y allá vivía Dolores, novia mía.

Tenía mi novia apenas diez y nueve años, y era una niña muy hermosa. Sus mejillas se parecían a las flores del peral. En la primavera y allí, bajo aquel árbol, fué donde yo le dije a ella:
—Dolores mía, ¿cuándo celebraremos nuestras bodas?
Todo en ella sonreía: sus hermosos cabellos con los cuales jugaba el viento, el talle de diosa, el desnudo pie aprisionado en pequeños zapatos, las lindas manecitas que atraían hacia sí la colgante rama, para aspirar las flores, la pura frente, los blancos dientes que asomaban entre sus labios rojos, -- todo en ella era bello. ¡Ah¡ Cuánto la amaba! A mi pregunta contestó con un rubor:
—Cuando empieza la próxima cosecha nos casaremos, si es que no te toca ir al servicio del rey.

Llegó la época de las quintas. Llegó mi turno y saqué el número más alto. Pero Vicente, mi mejor amigo, tuvo la mala suerte de salir de soldado. Le hallé llorando y diciendo:
—¡Madre mía, mi pobre madre!
—Consuélate, Vicente, yo soy huérfano, y tu madre te necesita. En tu lugar me marcharé yo.
Cuando fuí a buscar a Dolores bajo el peral, la encontré con los ojos humedecidos de lágrimas. Nunca la había visto llorar, y aquellas lágrimas me parecieron mucho más bellas que su adorable sonrisa. Ella me dijo:
—Has hecho muy bien; tienes un corazón de oro. Véte, Jaime de mi alma; yo esperaré tu regreso.

****
—¡Paso redoblado! ¡Marchen!
Y de un tirón nos metimos casi en las narices del enemigo.

41. The Pear Tree

I remember that on the way-out from my village there was a very beautiful pear tree that was a (gave) pleasure to see. Not far away was found situated the house of the owner, and there lived Dolores, my fiancée.

My fiancée was hardly nineteen years old, and was a very beautiful girl. Her cheeks resembled the flowers of the pear tree. In the spring and there, beneath that tree, was where I said to her:

"My Dolores, when will we celebrate our wedding?"

Everything about her smiled: her beautiful hair with which the wind played, her figure of a goddess, the bare foot imprisoned in small shoes, the pretty little hands that drew down towards herself the hanging branch, in order to smell the flowers, the clear forehead, the white teeth that appeared between her red lips -- everything about her was beautiful. Ah! How I loved her! To my question she replied with a blush:

"When the next harvest begins we will marry, provided that you do not have (lit: does not touch you) to go to the service (i.e. military) of the king.

The time of the conscription arrived. My turn came and I took out the highest number. But Vincente, my best friend, had the bad luck of going as a soldier. I found him crying and saying:

"My mother, my poor mother!"

"Be comforted, Vicente, I am an orphan, and your mother needs you. I will go away in your place."

When I went to find Dolores beneath the pear tree, I found her with her eyes moist with tears. I had never seen her cry, and those tears seemed to me much more beautiful than her adorable smile. She said to me:

"You have done very well; you have a heart of gold. Go, Jaime of my soul; I will await your return.

****

Double-quick step! March!

And suddenly (lit: with one tug/pull) we placed ourselves almost in the noses of the enemy.

—¡Jaime, manténte firme y no seas cobarde!

Entre las densas nubes de humo negro que oprimían mi pecho descubrí las relucientes bocas de los cañones enemigos, que clamaban a la vez, produciendo grandes destrozos en nuestras filas. Por dondequiera que pasaba, se deslizaban mis pies en sangre aún caliente. Tuve miedo y miré atrás.

Detrás estaba mi patria, el pueblo y el peral cuyas flores se habían convertido en sabrosas frutas. Cerré los ojos y vi a Dolores que rogaba a Dios por mí. No tuve ya miedo.

—¡Adelante!... ¡fuego!... ¡a la bayoneta!

—¡Bravo, valiente soldado! ¿Cómo te llamas?

—Mi general, me llamo Jaime, para servir a vuestra señoría.

—Jaime, desde este momento eres capitán.

¡Dolores! Dolores querida, vas a estar orgullosa de mí. Habiendo terminado la campaña victoriosa para nosotros, pedí mi licencia. Henchido el pecho de gratas ilusiones emprendí mi viaje. Y aunque la distancia era larga mi esperanza la hizo corta. Ya casi he llegado. Allá abajo, trás de ese monte, está mi país natal. Al pensar que pronto las campanas repicarán por nuestra boda empiezo a correr. Ya descubro el campanario de la iglesia, y me parece oír el repicar de las campanas.

En efecto, no me engaño. Ya estoy en el pueblo, pero no veo el peral. Me fijo mejor, y noto que ha sido cortado, según parece, recientemente, pues en el suelo y en el sitio donde antes estaba, aparecen algunas ramas y flores esparcidas aquí y allá. ¡Qué lástima! ¡Tenía tan hermosas flores! ¡He pasado momentos tan felices cobijado en su sombra!

—¿Por quién tocas, Mateo?

—Por una boda, señor capitán.

Mateo ya no me conocía, sin duda.

¿Una boda? Decía verdad. Los novios entran en este momento en la iglesia. La prometida es—Dolores, mi Dolores querida, más risueña y encantadora que nunca. Vicente, mi mejor amigo, aquél por quien me sacrifiqué, es el esposo afortunado. A mi alrededor oía decir:

140

"Jaime, keep firm and do not be a coward!"

Amongst the dense clouds of black smoke that weighed upon my chest I discovered the shining mouths of the enemy canons, that clamoured/roared at the same time, producing great damage in our ranks/files. Wherever I went, my feet slipped in blood still warm. I was frightened and I looked back.

Behind were my fatherland, the village and the pear tree whose flowers had changed into tasty fruits. I closed my eyes and saw Dolores who prayed to God for me. I did not now have fear.

"Go ahead! Fire! To the bayonet!

"Bravo! Brave soldier! What is your name?"

"My General, my name is Jaime, in order to serve your lordship/excellency."

"Jaime, from this moment you are captain."

Dolores, darling Dolores, you are going to be proud of me. The campaign having ended victorious for us, I asked for my release. My chest swollen with pleasant dreams, I undertook my journey. Although the distance was long my hope made it short. Now I have almost arrived. There below, behind that mountain, is my home place (lit: birth country). On thinking that soon the bells will ring for our wedding I begin to run. Now I make out/discover the bell tower of the church, and it seems I hear the ringing of the bells.

And in effect, I do not deceive myself. I am now in the village, but I do not see the pear tree. I concentrate better, and I note that it has been cut down, recently it seems, for on the ground and in the place where it was before, appear some branches and flowers scattered here and there. What a pity! It had such beautiful flowers! I have passed such happy moments sheltered in its shadow!

"For whom are you ringing (i.e. the bells) Mateo?"

"For a wedding, Señor Captain."

Mateo, without doubt indeed, did not know me.

A wedding? He was telling the truth. The bridal couple enter at this moment in the church. The promised bride is – Dolores, my beloved Dolores, more smiling and enchanting than ever. Vicente, my best friend, for whom I sacrificed myself, is the fortunate spouse. Around me I heard say:

141

—Serán felices, porque se aman.

—Pero ¿y Jaime?—preguntaba yo.

—¿Qué Jaime?—contestaban. Todos me habían olvidado.

Entré en la iglesia, me arrodillé en el sitio más oscuro y apartado, y rogué a Dios me diera fuerzas para no olvidarme de que era cristiano. Hasta pude orar por ellos.

Terminada la misa me levanté, y dirigiéndome al lugar donde había estado el peral, recogí una de las flores que en el suelo hallé,—flor ya marchita.

Entonces emprendí mi camino sin volver la cabeza atrás.

—Ellos se aman. ¡Que sean muy dichosos!—pude aún decir.

****

—¿Ya estás de vuelta, Jaime?

—Sí, mi general.

—Oye, Jaime. Tú tienes veinticinco años y eres capitán. Si quieres, te casaré con una condesa.

Saco de mi pecho la marchita flor del peral, y contesto:

—Mi general, mi corazón está como esta flor. Lo único que deseo es un puesto en el sitio de más peligro para morir como soldado cristiano.

Se me concede lo que solicito.

****

A la salida del pueblo se levanta la tumba de un coronel muerto a los veinticinco años en un día de batalla.

142

"They will be happy, because they love each other."

"But, and Jaime?" I asked.

"What Jaime?' they replied. All had forgotten me.

I entered into the church, I knelt down in the darkest and most secluded place, and I prayed to God that he should give me strength in order not to forget that I was a Christian. I was even able to pray for them.

The mass ended, I got up, and making-my-way/directing myself to the place where the pear tree had been, I picked up one of the flowers that I found on the ground, -- a flower now faded.

Then I undertook my journey without turning my head back.

"They loved each other. May they be very happy!" I was even able to say.

****

"Already back, Jaime?"

"Yes, my General"

"Listen Jaime. You are twenty-five years old and you are a captain. If you want, I will marry you to (get you married to) a countess."

I take out from my chest the faded flower of the pear tree, and I answer:

"My General, my heart is like this flower. I only thing that I desire is a position in the place of most danger in order to die like a Christian soldier."

What I ask for is granted to me.

****

On the way out of the village is erected the grave/tomb of a colonel killed/dead at the age of twenty-five years on a day of battle.

42. Afinador Y Mártir

Era yo empleado del Ministerio de la Gobernación y tenía fama de activo y laborioso; pero aun viéndome muy considerado por mis superiors, y en camino de hacer carrera, toda mi ilusión la cifraba en escribir para el público.

Por entonces las tareas burocráticas me impedían dedicarme en absoluto á la amena y vaga literatura. Escribía, en mis ratos de ocio, correspondencias alegres para los periódicos de mi pueblo, y de cuando en cuando lo colaboraba en El Cascabel que había sido resucitado.

Cada vez que aparecía un artículo mío en aquel periódico inolvidable, experimentaba un júbilo inmenso y no me cansaba de leer y releer mi nombre y apellido en letras de molde. Yo enviaba al director los artículos, que iban saliendo cuando él quería; pero como no me mandaba el periódico, todos los domingos muy temprano me situaba en la Puerta del Sol esperando que los chicos lo vocearan, para comprarlo inmediatamente; y era tal mi emoción cuando veía en él mi firma, que alguna vez llegó á preguntarme el vendedor:

— ¿ Qué es eso? ¿ Se va usted á morir ?

Yo estaba á punto de contestarle:

— ! Si supiera usted quien soy yo ! Está usted hablando con este Luis que firma aquí abajo . . .

Pero me contenía porque no me llamara vanidoso, y corría á mi casa para saborear mis propias bellezas en la soledad de la alcoba, lejos de las miradas aborrecibles de la patrona.

Yo solía ir á que me afeitaran en una peluquería de la plaza de Antón Martín. El maestro, hombre de verbosidad abrumadora, supo un día que colaboraba en El Cascabel, y mientras se disponía á afeitarme me dijo alegremente :

42. Piano Tuner And Martyr

I was an employee of the Ministry of the Interior and I had the reputation of (being) active/diligent and hard-working; but although seeing myself highly regarded by my superiors, and on the way to making a career, I pinned all my dreams upon writing for the public.

At that time my bureaucratic/official work hampered me from devoting myself completely to enjoyable and idle literature. I wrote, in my moments of leisure, cheerful letters for the newspapers of my town, and from time to time I collaborated on El Cascabel (a newspaper) that had been revived.

Each time that an article of mine appeared in that unforgettable newspaper, I experienced an immense joy and I did not tire of reading and rereading my name and surname in printed letters. I would send to the editor the articles, that were coming out when he wanted; but as the newspaper was not sent to me, every Sunday very early I would station myself in the Puerta del Sol (celebrated square in the centre of Madrid) waiting for the boys to shout it out (that they should ......), in order to buy it immediately; and such was my emotion when I saw in it my signature, that on one occasion the seller approached to ask me:

"What is this? Are you going to die?"

I was on the point of answering him:

"If you were to know who I am! You are talking to the Luis who signs here below....."

But I restrained myself so that he should not call me vain, and I ran to my house in order to savour my own beauties in the solitude of the bedroom, far from the detestable looks of the landlady.

I used to go to a hair-dressers shop in the plaza de Antón Martín so that they should shave me. The master/boss, a man of overpowering verbosity, knew one day that I collaborated on El Cascabel, and whilst he prepared himself to shave me he said to me cheerfully:

145

— ¿Conque es usted escritor y aquí no sabíamos nada?

El carmín de la felicidad coloreó mis mejillas, y sólo tuve fuerzas para hacer un gesto afirmativo.

— ¡ Vaya, vaya ! ¡ Usted no sabe cuánto me alegro !

— Sí — añadió uno de los dependientes. — Desde que hemos sabido que escribe usted en El Cascabel, lo compramos todas las semanas. ¡ Y qué bien pone usted la pluma !

—! Ya, ya ! — afirmó el maestro. — Da gusto leer lo que usted saca de la cabeza. Aun ayer estuvo aquí un parroquiano y dijo que tenía usted muchismo talento.

La felicidad me embargaba y era tal mi alegría, que el maestro no pudo sujetarme el rostro y me cortó dos veces. Mientras duró la operación, los elogios fueron en aumento y jamás me vi tan obsequiado como entonces. El maestro se detuvo más tiempo que nunca en rizarme el bigote.

— Basta; no se canse usted más — decía yo.

— Deje usted ; yo á los hombres de mérito los trato con todas las consideraciones debidas. ¡Para mí, el talento es lo más grande del mundo !

— Gracias, no merezco . . .

— ¡ No se haga usted el chiquito, caramba !

— Vaya, adíos, hasta otro día — balbucí dirigiéndome á la puerta.

— Páselo usted bien, D. Manuel — dijo el dependiente, saludándome con una exagerada genuflexión.

— Vaya usted con Dios, Sr. Osorio.

Experimenté un horrible desengaño, y tuve que apoyarme en la barandilla de la escalera para no caer de bruces.

¡ Me habían confundido con Osorio y Bernard !

Aquella lección, que castigaba mi orgullo, fué bien pronto echada en olvido, y me puse á escribir una pieza para teatro Variedades.

"So then you are a writer and here we knew nothing of it?"

The crimson/blush of happiness coloured my cheeks, and I only had strength to make an affirmative/positive gesture.

"Well, well! You do not know how delighted I am!"

"Yes," added one of his employees. "Since we have known that you write for El Cascabel, we buy it every week. And how well you handle (put) the pen!"

"Indeed!" affirmed/declared the boss. "It is pleasant (gives pleasure) to read what you get out of your head. Even yesterday a regular-customer (also: parishioner) was here and he said that you had a lot of talent."

Happiness overcame me and such was my joy that the master was not able to grasp my face and he cut me two times. Whilst the operation lasted, the praises were on the increase and I never saw myself so honoured as then. The boss hung about more time than ever in curling my moustache.

"Enough; do not tire yourself more." I said.

"Allow/let me; I treat men of merit with all due consideration/respect. For me talent is the greatest thing in the world!"

"Thank you, I don't deserve...."

"Don't make yourself the little-one, (don't belittle yourself), goodness!"

"Well, goodbye, until another day" I stammered making my way to the door.

" Have a good day (lit: pass it well), Don Manuel" said the employee, saluting me with an exaggerated genuflexion (bow).

"Go with God, Señor Osorio."

I experienced a horrible disillusion, and had to support myself on the bannister of the staircase in order not to fall face down.

They had confused me with Don Manuel Osorio y Bernard! (i.e. The barbers had mistaken him for another writer.)

That lesson, that punished my pride, was very soon forgotten (lit: thrown into oblivion), and I set myself to write a piece for Variedades theatre.

Cuando la tuve concluida corrí á ver á Lujan, el famoso actor cómico, que me recibió, mirándome con sorpresa, como si quisiera decirme:

— No tienes tú cara de haber hecho nada bueno.

— Es un juguete sin pretensiones — murmuré.

— ¿ Un juguete ? — contestó. — ¿ Sabe usted lo que decía D. Julián Romea?

— No señor.

— Pues decía que al teatro no se viene a jugar.

Me sonreí para disimular mi amargura, pues aquellas frases me habían dejado frío.

— ¿ Cómo se llama el juguete ? — siguió diciendo Lujan.

— Afinador y mártir — contesté yo ruborizado.

— Bueno ; lo leeré y . . .

— ¿ Cuándo quiere usted que vuelva?

— Cualquier día; mañana, pasado, dentro de una semana ó de dos. Eso queda á voluntad de usted.

Durante quince días estuve yendo á Variedades á diario.

Entraba en la sala de espera de los actores; me sentaba en un rincón y allí me estaba desde las ocho hasta las doce de la noche, esperando que me dijera Lujan:

— Ya he leído eso.

Pero ¡ nada ! No me lo decía.

Una noche, llamándome á su cuarto, me habló así:

— Mañana venga usted á las doce. Ya he dado á copiar eso y es preciso qué usted se lo lea á los que han de representarlo.

¡ Qué noche pasé ! Daba vueltas y vueltas en la cama, y durante ocho horas estuve oyendo roncar á un comisario de guerra retirado, que sonaba como un fagot.

When I had it completed I ran to see Lujan, the famous comic actor, who received me, looking at me with surprise, as if he migjt want to say to me:

"You do not have the face/appearance of having done anything good."

"It is a little comedy-sketch (also: a toy or plaything) without pretentions." I murmured.

"A little-comedy?" he replied. "Do you know what Don Julián Romea (a famous actor) said?"

"No señor."

"Well he said that one does not come to the theatre to play."

I smiled to conceal my bitterness, for those words had left me cold.

"What is the little-comedy called?" Lujan continued saying.

"Piano Tuner And Martyr" I replied blushing.

"Good; I will read it and....."

"When do you want me to return?"

"Any day; tomorrow, the day after, within a week or two. That is up to you (remains your will/desire)."

During fifteen days I was going to Variedades daily.

I entered the actors waiting room (i.e. the green room); I sat in a corner and there I was from eight o'clock until twelve at night hoping that Lujan should say to me:

'Now I have read that.'

But nothing! He did not say it to me.

One night calling me to his room, he spoke to me thus:

"Tomorrow come at twelve. I have copied that and it is essential that you should read it to those who have to perform it."

What a night I passed! I turned over and over in the bed, and during eight hours I was listening to the snores of (hearing snore) a retired war commissioner, who sounded like a bassoon.

149

Entre el ronquido del comisario y el temor de que mi obra no gustara á los actores, me pasé toda la noche sufriendo, y á las doce de la mañana del día siguiente estaba yo en el teatro, sentado ante una mesa leyendo con voz entrecortada mi *Afinador y mártir*.

A los actores no les gustó la obra poco ni mucho, y cuando acabé la lectura se miraron silenciosamente. Tan aturdido estaba, que por coger mi sombrero, cogí un manguito de la primera actriz y me lo quería meter por la cabeza.

— ¡ Qué hace usted ? — preguntó la actriz riendo.

Lujan tuvo compasión de mi estado, y murmuró á mi oído:

— Á mí la obra me gusta. Mañana comenzaremos á ensayarla.

Durante los ensayos, sólo yo sé lo que padecí. Aquello me parecía un solemne desatino; los que yo había creído chistes ingeniosos, eran majaderías y sandeces insoportables.

Una novia chata que yo tenía y á quien comuniqué mis tristes impresiones respecto del juguete, se puso á hacer una novena á San Nicanor para que me sacara con bien de aquella aventura, y la pobrecita estuvo rezando durante una semana, viniendo á salir á unos veinticinco padrenuestros un día con otro.

Y llegó la noche del estreno . . . ; No me quiero acordar !

Mi novia y su familia estaban en un palco; varios compañeros de oficina en las butacas; mi patrona y su criada en dos delanteras de paraíso, y el comisario de guerra, que me aborrecía, en uno de los sillones de orquesta.

Yo los veía á todos por el agujerito del telón, y se me figuraba oírles decir:

— Ahora vamos á ver qué brutalidades se le han ocurrido á ese necio.

Between the snoring of the commissioner and the fear that my work might not please the actors, I passed all the night suffering, and at twelve o'clock in the morning of the following day I was in the theatre, seated in front of a table reading with a faltering voice my *Piano Tuner And Martyr*.

The actors did not like the work little or much, and when I finished the reading they looked at each other silently. So bewildered was I, that intending to pick up my hat, I picked up the muff of the leading actress and wanted to put it on my head.

"What are you doing?" asked the actress laughing.

Lujan had compassion on my state, and murmured in my ear:

"I like the work. Tomorrow we will start to rehearse it."

During the rehearsals only I know what I suffered. It seemed to me a downright blunder; those that I had believed to be ingenious jokes, were intolerable absurdities and stupidities.

A snub-nosed girlfriend that I had and to whom I communicated my sad impressions regarding the farce, set herself to make a novena (a period of daily prayer for some special intention) to Saint Nicanor (a martyr of the early church) in order that I might come out well of that adventure, and the poor little girl was praying during a week, leading to twenty-five paternosters on average each day (lit: one day with another).

And the night of the first performance arrived......I do not want to remember!

My girlfriend and her family were in a box; various office companions in the seats of the stalls; my landlady and her maid in two front seats of the top gallery (paradise/the gods) and the war commissioner, who loathed me, in one of the side seats (orchestra seats).

I saw them all through the little hole in the curtain, and I imagined hearing them say:

"Now we are going to see what barbarisms have occurred to this idiot."

151

Cuando se me presentaron los actores, antes de dar principio la función, fué tal el efecto que su presencia produjo en mí, que tuve que apoyarme en la pared del la sala de espera.

— ¡ Ay ! Yo me muero ! — exclamé abrazando á Lujan.

— ¿ Qué es eso ? ¿ Se va usted á caer ? — preguntó alarmado.

Y como yo no tuviese fuerzas, ni para contestar, mandó al recadero que fuese corriendo al café de Zaragoza y me trajera una taza de tila.

Entre todos me obligaron á tomarla; y me decía la primera actriz cariñosamente:

— Vamos, serénese usted, que la cosa no es para tanto. Cualquiera diría que ha cometido usted un crimen.

— Sí, señora. Lo he cometido y me arrepiento de todo corazón ; pero no lo volveré á hacer . . .

Yo no quería presenciar la ejecución del juguete; pero Andrés Ruesga, que era uno de los actores que en él tomaban parte, me obligó á permanecer entre bastidores. Allí, arrimado á un telón recién pintado, estuve sufriendo un horrible martirio, sin fijarme en que la pintura se me adhería á los pantalones. Juanita Espejo, una actriz muy graciosa y muy lista, arrancó el primer aplauso, y yo entonces experimenté un dulce consuelo.

Después hubo aplausos para Lujan, para doña Concha, la la primera actriz, para Mercedes García, otra actriz, y para Ruesga. Toda mi amargura se trocó en felicidad.

El público me había llamado á escena, y sin saber cómo, me vi delante de la concha del apuntador, no sin tropezar antes con los trastos, con los actores y con la concha misma.

En medio de mi perturbación vi al comisario que se levantaba de su localidad haciéndome un gesto desdeñoso, y vi á mi novia, en cuyos ojos brillaba la dicha y el orgullo.

— ¡ Bendita seas, chata de mi corazón ! — exclamé entusiasmado.

When the actors came up to me, before me before the performance/function began, such was the effect that their presence produced on me, that I had to support myself on the wall of the (actors) waiting room.

"Oh! I am dying!" I exclaimed embracing Lujan.

"What is that? Are you going to fall?" he asked alarmed.

And as I had no strength, not even to answer, he ordered the errand-boy that he should go running to the Zaragoza café, and should bring me a cup of lime flower tea.

Between them all they obliged me to take it; and the first actress said to me affectionately:

"Come on, calm yourself, the thing is not so serious (lit: so much). Anyone would say that you had committed a crime"

" Yes Señora, I have committed it and I repent with all my heart: but I will not again do....."

I did not want to be present at/witness the performance of the little comedy but Andrés Ruesga, who was one of the actors who were taking part in it, obliged me to remain in the wings. There, close to a recently painted curtain, I was suffering a horrible martyrdom, without noticing that the paint was adhering to my trousers. Juanita Espejo, a very graceful and very clever (also: ready/sharp) actress, drew (also: started) the first applause, and I then experienced a sweet consolation.

Afterwards there was applause for Lujan, for Doña Concha, the leading actress, and Mercedes García, another actress, and for Ruesga. All my misery turned into happiness.

The public had called me to the stage, and without knowing how, I found (lit: saw) myself in front of the box (also: shell) of the prompter, not without first bumping into the stage furniture, the actors and the very prompter's box.

In the middle of my agitation I saw the war commissioner who was arising from his place making me a disdainful gesture, and I saw my girlfriend in whose eyes shone happiness and pride.

"Bless you, snub-nose of my heart! I exclaimed enthusiastically.

Al día siguiente decía El Diario Español al dar cuenta de mi estreno:

«El autor fué llamado á escena, y pudimos notar que llevaba manchadas las rodilleras del pantalón, cosa que nos explicamos fácilmente. El desgraciado había estado en oración, pidiendo al cielo que le perdonase sus muchas faltas.»

43. Las Campanas

Yo las amo, yo las oigo
cual oigo el rumor del viento,
el murmurar de la fuente
o el balido del cordero.

Como los pájaros, ellas,
tan pronto asoma en los cielos
el primer rayo del alba,
le saludan con sus ecos.

Y en sus notas, que van repitiéndose
por los llanos y los cerros,
hay algo de candoroso,
de apacible y de halagüeño.

Si por siempre enmudecieran,
¡qué tristeza en el aire y el cielo!,
¡qué silencio en las iglesias!,
¡qué extrañeza entre los muertos!

Rosalia de Castro

The next day El Diario Español said on giving an account of my first performance:

'The author was called to the stage, and we were able to notice that he had the knees of his trousers stained, a thing that we explain easily. The wretch/unhappy-man had been in prayer, begging heaven that it should forgive him his many failings.'

43. The Bells

I love them, I hear them,
as I hear the whisper of the wind
the murmur of the fountain
or the bleat of the lamb.

Like the birds, (they),
as soon as comes out in the sky
the first light of the dawn,
they salute it with their echoes

And in their notes, that go on repeating themselves
by the plains and the hills,
there is something of innocence,
of gentleness and of flattery.

If for ever they should fall silent,
what sadness in the air and in the sky!
what silence in the churches!
what astonishment amongst the dead.

Rosalia de Castro

44. ¡Mi Mismo Nombre!

¡ Qué sastre aquél ! ; Qué hombre tan fino y tan cariñoso!
!Cuando fui á que me tomaran medida del traje, el hombre se deshizo en obsequios.

— Tome usted un cigarrillo — me decía, alargándome la petaca. — ¿ Quiere usted un fósforo ? Siéntese usted en este rincón que estará más abrigado.

Después nos pusimos á escoger la tela.

— Guíese usted por mí. Lleve usted ésta, que es de mucha duración. Quiero que salga usted satisfecho de mi casa. Mire usted, mire usted, qué punto de color tan elegante. Días pasados le hice un traje igual á D. Venancio González.

Todo aquello me sedujo y acabé por aprobar la elección del maestro, que me llevó á un cuartito obscuro y se puso á medirme la espalda, y los brazos, y el pecho y todo lo demás, diciendo con voz campanuda : veintidós . . . cuarenta y cinco .... once .... dieciocho. . . .

Un dependiente iba apuntando estas cifras en un cuaderno, y yo me dejaba sobar por el sastre sin oponer la menor resistencia.

— Ya sabe usted que quiero larguita la manga — me permití decirle.

— Y él contestó con cierto orgullo de artista sublime :

— Ya lo sé, hombre, ya lo sé.

— El cuello altito.

— No tiene usted que hacerme ninguna advertencia.

— Es que. . .

— Á callar. ...

Habíamos convenido en que yo le daría diez duros en el acto de entregarme las prendas, y los otros diez á fines de octubre. Una mañana entró en mi cuarto el dependiente y mostrándome el traje nuevo, me dijo:

— Dice el maestro que se lo pruebe usted por si tiene algo que corregir, aunque no lo creemos.

Quise ponerme el pantalón y no me entraba por los pies.

44. My Very Name!

What a tailor that one! That man so refined and caring!

When I went in order that they should take my measurements for a suit, the man wore himself (undid himself) out in civilities.

"Take a cigarette" he said to me, passing me the cigarette case. "Do you want a match? Sit down in this corner that will be more sheltered."

Afterwards we set ourselves to select the cloth.

"Be guided by me. Take this one, that is very long lasting. I want you to leave my house satisfied. Look, look, that shade/point of colour so elegant. A few days ago I made a similar suit for Don Venancio González.

All this captivated me and I ended by approving the selection of the master, who took me to a little dark room and started to measure my back, and my arms, and the chest and all the rest, saying with a pompous voice: twenty-two... forty-five.. eleven.. eighteen...

An employee went on noting these figures in a notebook, and I let myself be pawed by the tailor without offering/putting up the least resistance.

"Now you know that I want the sleeve a little long." I permitted myself to say to him.

And he replied with the certain pride of the sublime artist:

" Indeed I know it, man, indeed I know it."

"The collar a little high."

"You do not have to give me any advice/warning."

"It's that ..."

"Hush..."

We had agreed that I would pay him ten duros immediately upon the garments being handed to me, and the other ten at the end of October. One morning the employee entered my room and showing me the new suit, he said to me:

"The boss says that you should try it on in case it needs anything to be changed, although we do not think so."

I wanted to put on the trousers and I could not get my feet in.

— Eso se arregla al momento — dijo el dependiente.

Fui á probarme la americana y parecía una blusa de ésas que usan los panaderos.

— ¿ Pero esto qué es ? — hube de preguntar al dependiente.

— Que ha salido un poco ancha, pero tiene fácil arreglo.

Y cogiendo las prendas salió de mi casa diciéndome :

— Cuando usted pueda, pásese por casa y el maestro hará las correcciones oportunas.

El maestro no me recibió con la amabilidad acostumbrada. Antes por el contrario, comenzó á gruñir al ver que el pantalón estaba estrecho, y la cazadora ancha y el chaleco corto.

— Á ver ; vuélvase usted — me decía empujándome sin ninguna consideración.

— Tiene usted el cuerpo más irregular que he visto en toda mi vida. !Encoja usted el vientre, hombre! Suba usted esos hombros, levante usted el brazo. . . .

El traje, después de muchas reformas quedó convertido en un adefesio; pero no tuve más remedio que admitirlo, y lo que es peor, dar las cincuenta pesetas convenidas.

— Ya sabe usted que á fines de octubre, debo recibir los otros diez duros, me dijo el sastre al despedirme.

— Sí, señor ; pierda usted cuidado.

Pero á los ocho días me dejaron cesante y comencé á comer mal y á sufrir todo género de privaciones. Llegó mi desgracia hasta el punto de tener que renunciar al amor de una señorita, á quien obsequiaba frecuentemente con yemas de coco.

— ¿Me traes las yemas? — me preguntó un día.

— No, querida — le contesté.

— Tú ya no me amas, Secundino — replicó ella.

— Más que á mi vida — exclamé yo.

Pero la mamá intervino en el asunto, asegurando que el hombre que no obsequia á la mujer amada no merece consideración, y dijo, por último, con acento de amargo reproche:

"This is adjusted in a moment" said the employee.

I went to try on the jacket and it resembled a blouse/smock like those that the bakers use.

"But what is this?" I had to ask the employee.

"It has come out a little wide, but it can easily be altered.

And picking up the garments he went out of my house saying to me:

"When you may be able, come by the house and the master will make the appropriate alterations.

The master did not receive me with the customary friendliness. Rather, on the contrary, he began to grumble on seeing that the trousers were narrow and the jacket wide and the waistcoat short.

"Let's see; turn around" he said to me pushing me without any consideration/respect.

"You have the most irregular body that I have seen in all my life. Shrink/pull in your stomach, man! Lift up these shoulders, lift your arm...."

The suit after many alterations became converted into a monstrosity; but I had no other remedy than to accept it, and what is worse, to give the fifty pesetas agreed.

"Now you know that at the end of October I must receive the other ten duros," the tailor said to me on saying goodbye.

"Yes, señor ; don't worry."

But after eight days they laid me off (made me redundant) and I began to eat badly and to suffer all kinds of privations/hardships. My misfortune reached the point of having to give up the love of a young girl whom I frequently used to treat with coconut sweets (yema also= yolks).

"Are you bringing me the sweets?" she asked me one day.

"No, darling." I answered her.

"You no longer love me, Secundino,"she replied.

"More than my life." I exclaimed.

But the mama intervened in the matter, asserting that the man who does not treat the loved woman does not deserve consideration, and said, finally, with an accent/tone of bitter reproach:

— ¿ Dónde están aquellos bistecs con que nos obsequiaba usted al principio de nuestra amistad?

Yo enmudecí, apoyé la cabeza entre ambas manos, y me fui á casa para no volver á la de mi encantadora Mariquita.

Al día siguiente recibí carta del sastre. Rompí el sobre y me puse pálido. La carta decía : « Sr. D. Secundino López. Tres veces estuvo el dependiente á cobrar las 50 pesetas que usted me adeuda, lo cual que espero me las remita sin perdida de tiempo.»

¿Dónde encontrar las 50 pesetas? ¿Dónde? Recurrí á la amistad; escribí á un tío sacerdote que tengo en Vigo, y que me contestó enviándome su bendición y una merluza. Todos mis pasos fueron inútiles ; pero á los ocho días recibí otra carta del sastre, diciendo que me iba á dar un golpe dondequiera que me encontrara.

Y desde aquel momento ya no tuve reposo. Á cada paso creía ver los ojos del sastre que me miraban con ira reconcentrada; no me atrevía á salir á la calle, ni á pisar fuerte, ni á estornudar, temiendo que mi acreedor estuviese escondido detrás de la puerta.

Cada dos ó tres días llegaba á mis manos una carta de mi verdugo concebida en esta forma :

« Donde le encuentre á usted, le estropeo »

Una tarde tuve que salir de mi domicilio contra todo mi deseo. Me había citado un personaje para ver si era posible meterme en ferrocarriles. Yo iba ocultando el rostro y de pronto ..... ¡ horror ! ... vi al sastre parado en una esquina, con un palo muy gordo en la mano derecha y ojos verdes ribeteados de grana, que despedían chispas.

— ¡Caramba ¡ Él! — dije yo sintiendo que mis piernas flaqueaban y que el corazón latía con violencia.

— ¿ Dónde me meto ? Ese hombre está esperándome para cometer conmigo un atropello.

"Where are those beefsteaks with which you treated us at the beginning of our friendship?

I was struck dumb, and rested my head between both hands, and went to my house not to return to that of my enchanting Mariquita.

On the next day I received a letter from the tailor. I broke open the envelope and I became pale. The letter said; 'Señor Don Secundino López. Three times was the employee to recover the 50 pesetas that you owe me, which I hope you will send me without loss of time' (n.b. the letter is not well written)

Where to find the 50 pesetas? Where? I resorted to friendship, (i.e. applied to friends), I wrote to an uncle priest that I have in Vigo, and who answered me sending me his blessing and a hake-fish. All my efforts/steps were useless; but after eight days I received another letter from the tailor, saying that he was going to give me a blow wherever he might find me.

And from that moment indeed I had no rest. At each step I believed I saw the eyes of the tailor that looked at me with concentrated anger; I did not dare to go out to the street, nor to step firmly, nor to sneeze, fearing that my creditor might be hidden behind the door.

Each two or three days a letter reached my hands from my executioner expressed in this way:

"Wherever I may find you, I break you."

One afternoon I had to go out of my home against all my desire/wishes. A person of importance had given me an appointment in order to see if it was possible to get me into the railways (i.e. a job). I went hiding my face and suddenly, ...horror.... I saw the tailor stationary on a corner with a very stout stick in his right hand and green eyes, bordered/streaked with red, that gave out sparks.

"Goodness! Him!" I said feeling that my legs were weakening and that my heart was beating with violence.

"Where do I put myself? (where can I go?) That man is awaiting me in order to commit an outrage upon me."

—No me queda más recurso que subir á una casa cualquiera. Pero él me seguirá ... Ya sé ; voy á llamar en cualquier piso ; preguntaré por el primer nombre que se me venga á la boca . . . Preguntaré por mí mismo. Sí, daré mi nombre y así no me expongo á que me contesten afirmativamente.

Y subí las escaleras de una casa de lujoso aspecto. Llegué al piso principal y apoyé el dedo en el botón del timbre.

—¿A quién busca usted ? — preguntó un criado por el ventanillo.
— ¿ No vive aquí D. Secundino López ?
— Sí, señor ; pase usted.
— (¡¡***!!)

45. El Te y La Salvia

El té, viniendo del imperio chino,
se encontró con la salvia en el camino.
Ella le dijo: «Adónde vas, compadre?»
«A Europa voy, comadre,
donde sé que me compran a buen precio.»
«Yo», respondió la salvia, «voy a China,
que allá con sumo aprecio
me reciben por gusto y medicina.
En Europa me tratan de salvaje,
y jamás he podido hacer fortuna.
Anda con Dios. No perderás el viaje,
pues no hay nación alguna
que a todo lo extranjero
no dé con gusto aplausos y dinero».

Tomás de Iriarte

"There remains to me no other resource than to go up to some house or other. But he will follow me! Indeed I know; I am going to call at whatever flat/floor: I will ask for the first name that may come to my mouth...... I will ask for myself. Yes, I will give my name and so I am not exposed (to the risk) that they may answer me positively."

And I went up the stairs of a house of luxurious appearance. I arrived at the main floor and I pressed my finger on the button of the bell.

"Whom are you looking for?" asked a servant through the little window.

"Does not Don Secundino López live here?"

"Yes, señor; come in.

....(!!***!!)....

45. The Tea And The Sage

The tea, coming from the Chinese empire,
found itself with the sage on the way.
She said to him: "Where are you going friend? (also: godfather)"
"To Europe I am going, friend (also: godmother),
where I know that they buy me at a good price."
"I," replied the sage, "I am going to China,
that there with great appreciation
they receive me for taste and for medicine.
In Europe they treat me as wild (i.e. like a weed)
and never have I been able to make a fortune.
Go (walk) with God. You will not lose by the voyage,
for there is not any nation
that may not with pleasure give acclaim/applause and money
to everything foreign."

Tomás de Iriarte

46. El Ladrón Honrado

Don Cipriano Patillas, capitán retirado, vivía en Madrid en una modesta casa de huéspedes de la calle del Piamonte.

Reducido á su escaso sueldo, pasaba una existencia, obscura, pero tranquila y envidiable.

Su familia, que le dio muchos disgustos, había ido desapareciendo del mundo poquito á poco, y nuestro hombre se conceptuaba dichoso, lamentando únicamente que sus amigos hubieran desaparecido también, quedándole tan sólo, de los muchos que tuvo, unos en posición tan elevada que ni aun se atrevía á tratarlos, y otros, cuatro ó cinco nada más, asiduos concurrentes como él á un café chapado á la antigua, donde tal vez por esto, les servían con más pureza el aromático producto colonial.

Esta razón les había hecho elegir para su tertulia aquel local obscuro y retirado, y allí, charlando de política palpitante, y recordando sus buenos tiempos, se pasaban las noches aquellos veteranos.

El señor de Patillas era un hombre de corta estatura, á quien los años habían prestado una obesidad extraordinaria. Su carácter bonachón se reflejaba en aquella fisonomía redonda, encarnada y risueña, de la cual era único adorno un bigote blanco que, recortado por los extremos con admirable simetría, se asemejaba á un cepillo para los dientes.

Madrugaba en todas las estaciones, y como su ocupación se reducía á matar el tiempo; daba largos paseos; visitaba las obras del Municipio ó las particulares, lamentando siempre el retraso con que se hacían, y entre el paseo, la lectura de los periódicos, el almuerzo y la comida, se le pasaba el día tan rápido, que apenas podía alguna vez solazarse viendo una partida de billar en el Café Suizo.

Como la acostumbrada tertulia daba principio al anochecer, solían en las de invierno aburrirse alguna que otra vez los veteranos, é idearon, para distraerse, empezar, á las diez de la noche, una partida de dominó que los entretenía tan ricamente.

46. The Honourable Thief

Don Cipriano Patillas, a retired captain, lived in Madrid in a modest guest house in Piamonte Street.

Reduced to his scant salary, he passed an existence, obscure, but tranquil and enviable.

His family, who gave him much displeasure, had been disappearing from the world little by little, and our man regarded himself as fortunate, lamenting only that his friends should have disappeared as well, leaving him simply, of the many that he had, some in a position so high that he did not even dare to associate with them, and others, four or five no more, frequent attenders like him at an old fashioned café (veneered with antiquity), where perhaps for this, they served them with more purity the colonial aromatic product (i.e. coffee).

This reason had made them choose for their gathering/party that obscure and withdrawn place, and there chatting about exciting/throbbing politics, and remembering their good times, those veterans passed the nights.

Señor de Patillas was a man of short stature, to whom the years had lent an extraordinary obesity. His good-natured character was reflected in that rotund face/appearance, ruddy and smiling, of which the only adornment was a white moustache, which, trimmed at the ends with admirable symmetry, resembled a brush for the teeth.

He got up very early in all the seasons (i.e. of the year) and as his occupation was reduced to killing time; he took long walks; he visited the municipal works, or the private ones, lamenting always the delays with which they were carried out, and between the walk, the reading of the newspapers, the lunch and the dinner, the day passed him by so quickly, that he was hardly able sometimes to amuse himself watching a game of billiards in the Café Suizo.

As the customary party began at nightfall, the veterans were accustomed in those of the winter, to become bored every now and then, and they conceived the idea, in order to distract themselves, to begin, at ten at night, a game of dominos that entertained them richly/splendidly.

Y aquí tienen ustedes á cuatro personas muy formales que, colocando fichas, se pasan algunas veces hasta las dos de la madrugada.

Con escándalo de todos, sucedió que algunas noches se retiraban á aquella hora, prometiéndose mutuamente no prolongar tanto la partida ; pero ellos, acostumbrados á acostarse á las once, fueron perdiendo poco á poco tan saludable hábito, y pocas veces se dio por terminada la tertulia antes de la una y media.

Tal hora sería, de una noche de invierno, cuando don Cipriano, embozado en su capita, se dirigió hacia casa calculando que, si en lugar de colocar el seis doble, hubiera puesto el seis blanca, no habría perdido diez y nueve tantos.

Abismado en tan interesantes reflexiones atravesaba una callejuela, apenas alumbrada por los débiles rayos de un farol, cuando se sintió de repente atropellado por un transeunte que venía en dirección contraria á la que llevaba D. Cipriano, el cual, con la violencia del golpe, cayó á tierra.

— Usted dispense — dijo el que le había hecho caer, ayudándole á levantarse.

— No hay de qué — contestó D. Cipriano, cerrando esta frase cortés un «¡ay!» que le hizo soltar el dolor que sentía en ese hueso llamado el rabadilla.

Y el transeúnte siguió rápidamente su interrumpida marcha, diciendo: — ¡ Buenas noches !

— Vaya usted con Dios — contestó D. Cipriano.

Pero al llevarse la mano al lado izquierdo, que se resentía del golpe, se quedó por un instante mudo de sorpresa, gritando luego con toda la fuerza de sus pulmones :

— ¡ Favor! . . . ¡ Socorro! . . . ¡Ladrones! . . . ¡Guardia!

Acudió uno de éstos, y don Cipriano exclamó con dolorido acento:

— ¡ Me ha robado el reloj ! . . . | Un hombre que me ha atropellado! . . . ¡Por allí se marchó ! . . . ¡Corra usted, hombre; corra usted!

— Si, ¡ échele usted un galgo! — dijo el guardia con la mayor serenidad del mundo.

And here you have four persons, very serious who, placing down the tokens (i.e. the dominoes) go on some times until two o'clock in the early morning.

To the scandal of them all, it happened that some nights they retired at that hour, promising themselves mutually not to prolong so much the game; but they, accustomed to go to bed at eleven, were losing little by little such a healthy habit, and few times did the party end before half past one.

Such an hour it would be, one night in the winter, when Don Cipriano, muffled up in his small-cloak, made his way towards home, calculating that, if in place of placing the double six, he were to have put the six blank, he would not have lost nineteen points.

Absorbed in such interesting reflexions he was crossing over a little street, hardly illuminated by the weak rays of a street light, when he felt himself knocked down suddenly by a passer-by who was coming in the direction opposite to the one that Don Cipriano was taking, who with the violence of the blow, fell to the ground.

"Excuse me" said the one who had made him fall, helping him to get up.

"There's no need" replied Don Cipriano ending/closing this polite sentence with an 'Ouch' that the pain he felt in the bone called the coccyx, made him give out.

And the passer-by rapidly continued his interrupted march, saying: "Good night!"

"Go with God" replied Don Cipriano.

But on raising his hand to his left side, that suffered from the blow, he remained for an instant silent from surprise, shouting then with all the force of his lungs:

"Please! ..... Help!.... Thieves! .... Police!"

One of these came, and Don Cipriano exclaimed with a pained accent/tone:

"He has robbed me of my watch!.... A man who has knocked me down!.... He went off over there!...Run man; run!"

"Yes, Set a greyhound on him!" (i.e. catch him yourself) said the policeman with greatest the serenity in the world.

D. Cipriano no echó á correr porque su obesidad se lo impedía: pero con toda la rapidez que le permitían sus carnes se dirigió hacia la calle por donde el ladrón había desaparecido.

Bien luego comprendió lo inútil de sus esfuerzos para alcanzarle y se dirigió á su casa nuevamente, lamentándose en voz baja de lo sucedido, renegando de los guardias que acudían en vano. Grande fué el pesar del señor de Patillas por la pérdida del reloj.

Era éste de oro, y lo había heredado de un amigo suyo muy rico que murió algunos años antes.

Aquélla era la unica alhaja que poseía el infeliz don Cipriano, á causa de lo cual su desconsuelo fué más grande.

Al siguiente día, cuando refirió el caso á sus contertulianos, recordaron éstos la recomendación que mil veces le habían hecho, de que llevase armas consigo, por ser demasiado solitaries, los parajes que había de atravesar para retirarse á su casa.

— Es muy cierto — dijo D. Cipriano; — he hecho muy mal en ir desprevenido. Si yo hubiese llevado un revólver, habría soltado un tiro al ladrón, que huía cuando descubrí que me había robado. Desde hoy traeré una pistola de dos cañones que tengo á la cabecera de mi cama.

Y dicho y hecho: desde aquel día no salió por la noche de su casa el señor de Patillas sin llevar colgada del inmenso cinturón con que se sujetaba los pantalones, su enorme pistola, capaz de poner susto en el alma del más valeroso, siquiera por el tamaño.

Como D. Cipriano era el hombre de la exactitud, se hallába fuera de su centro desde que le faltaba el reloj, y tenía grandísimo disgusto al notar que comía con cinco minutos de retraso ó que había leído los periódicos un cuarto de hora antes de lo acostumbrado.

Á causa de lo cual, y haciendo el sacrifício de gastar unos cuantos pesetas que tenía reservados para el triste caso de una enfermedad, se compró un reloj de plata.

Don Cipriano did not start to run because his obesity prevented him; but with all the rapidity that his flesh allowed him, he made his way towards the street where the thief had disappeared.

Quite soon he realised the uselessness of his efforts in order to reach him and he made his way to his home again, lamenting in a low voice about the incident, complaining about the police who came in vain. Great was the grief of Señor de Patillas for the loss of the watch.

It was of gold, and he had inherited it from a very rich friend of his who died some years before.

That was the only jewel/precious object that the unhappy Don Cipriano possessed, on account of which his distress was greater.

On the following day when he related the event to his fellow-café-party members, they remembered the recommendation, that a thousand times they had made to him, that he should carry weapons with him, because of the places, that he had to go through in order to go back to his home, being too lonely.

"It is very true" said Don Cipriano; "I have done very badly in going unprepared. If I had carried a revolver, I would have discharged a shot at the thief, who fled when I discovered that he had robbed me. From today I will carry a two-barrel pistol that I have at the head of my bed."

And said and done; from that day Señor de Patillas did not go out of his house at night without carrying slung from the immense belt with which he held up his trousers, his enormous pistol, capable of putting fright in the soul of the most valiant, if only for its size.

As Don Cipriano was a man of accuracy, he found himself out of his element (lit: centre) after he lacked the watch, and he had great annoyance on noting that he was eating with five minutes delay, or that he had read the newspapers a quarter of an hour before the usual (time).

Because of this, and making the sacrifice of spending some pesetas que he held reserved for the sad case of an illness, he bought himself a silver watch.

Seis meses transcurrieron desde que le fué robado el reloj sin que ningún incidente extraordinario viniese á turbar la dulce monotonía de su existencia. Una noche hermosísima de verano, al ir á salir de casa y coger, como de costumbre, la pistola, pensó el señor de Patillas para sus adentros:

— Me parece inútil llevar esto ahora que las noches son tan claras y está tan acompañado el camino.

Y fué á soltar el arma, cuando le asaltó esta otra prudente reflexión:

—Quizás hoy se le ocurra á cualquier ratero darme un susto. Aunque me abulte algo bajo la chaqueta, la llevaré por si acaso.

Y, en efecto, colgó del cinturón la pistola y se marcho al café, como de costumbre.

La partida de dominó fué reñida aquella noche; eran muy cerca de las dos cuando el señor de Patillas se retiraba á su casa tranquilamente.

Cerca del sitio donde la otra vez le robaron, y al volver una esquina, se dió un encontronazo tremendo con un transeúnte, no cayendo al suelo, como en el lance anterior, pero sí quedando vacilante á consecuencia del choque.

Sentir éste y llevarse mano al bolsillo del chaleco fué todo uno, y ¡cuál sería su asombro al notar que le faltaba el reloj !

Se volvió rápidamente, sacó la pistola, y apuntando al ladrón, que ya estaba algo lejos, gritó: — ¡ Alto, ó le suelto á usted un tiro ¡

El ladrón, al oir esto, se detuvo. Se aproximó á él D. Cipriano sin bajar el cañón de la pistola, y exclamó con voz de trueno:

— ¡ Déme usted el reloj inmediatamente, ó le mato!

Asustado el ladrón, entregó el reloj al señor de Patillas y echó á correr temblando, no sin recibir antes de D. Cipriano un puntapié soberbio.

— ¡ Caracoles ! — exclamó el buen viejo, guardándose el reloj en el bolsillo ; — - bien hice en no dejar la pistola.

Six months passed since he was robbed of the watch without any extraordinary incident coming (without that any ....should come) to disturb the sweet monotony of his existence. One very beautiful summer night, upon going to leave the house and to take, as usual, the pistol, Señor de Patillas thought to himself:

"It seems useless to me to carry this now that the nights are so bright and the roadway is so frequented,"

And he went to put aside the weapon, when this other prudent reflexion struck him:

"Perhaps today it may occur to some petty-thief to give me a fright. Although it sticks out somewhat below the jacket, I will carry it in case."

And indeed, he hung the pistol from his belt and he went off to the café, as usual.

The game of dominoes was hard fought that night; it was very near to two (o'clock) when Señor de Patillas retired back tranquilly to his home.

Close to the place where they robbed him the other time, and on turning a corner, he had a tremendous collision with a passer-by, not falling to the ground as in the previous incident, but, yes, remaining unsteady as a consequence of the collision.

To feel this and to take his hand to the pocket of his waistcoat was all one (action), and imagine (lit: what would be) his astonishment on noting that he was missing his watch!

He turned around rapidly, took out the pistol, and pointing it at the thief, who was now somewhat far off, he shouted: "Stop, or I fire (lit: let go) a shot at you!"

The thief, on hearing this, stopped. Don Cipriano approached him without lowering the barrel of the pistol, and exclaimed with a voice of thunder:

"Give me the watch immediately or I kill you!"

The thief, frightened, handed over the watch to Señor de Patillas and started to run shaking, not without before receiving from Don Cipriano a splendid kick.

"Goodness (lit: snails)!" exclaimed the good old man putting away the watch in his pocket, "I did well in not leaving the pistol behind."

171

Y orgulloso de sus bríos, llegó á casa, subió á su cuarto, abrió con el picaporte que siempre llevaba, entró en su habitación, y se quedó mudo de asombro, y sin saber lo que le pasaba, al ver que su reloj estaba colocado sobre la mesa de noche.

Sin volver de su asombro sacó de su bolsillo el reloj que acababa de quitar al ladrón, y vio que era también de plata, i pero no el suyo !

¡ D. Cipriano había robado á un infeliz transeúnte!

47. La Codorniz

Presa en estrecho lazo
la Codorniz sencilla,
daba quejas al aire,
ya tarde arrepentida.
«¡Ay de mí miserable
infeliz avecilla,
que antes cantaba libre,
y ya lloro cautiva!
Perdí mi nido amado,
perdí en él mis delicias,
al fin, perdí lo todo,
pues que perdí la vida.
¿Por qué desgracia tanta?
¿Por qué tanta desdicha?
¡Por un grano de trigo!
¡Oh cara golosina!»
!El apetito ciego
a cuántos precipita,
que por lograr una nada,
un todo sacrifican!

Felix María Samaniego

And proud of his spirit, he arrived home, went up to his room, opened it with the latch key that he always carried, entered into his room, and became silent with amazement, and without knowing what was happening to him, on seeing that his watch was placed upon his night (bedside) table.

Without recovering from his amazement he took out of his pocket the watch he had just taken away from the thief, and saw that it was also of silver, but not his!

Don Cipriano had robbed an unhappy passer-by!

47. The Quail

Prisoner in in a tight snare
the simple/foolish quail,
now too late repented,
gave its complaints to the air.
"Ah wretched me
unhappy little bird,
that previously I sang free,
and now I weep captive!
I lost my beloved nest,
I lost in it my delights/pleasures,
in short, I lost it all,
because I lost my life.
Why such misfortune?
Why such misery?
For a grain of wheat!
Oh expensive titbit/morsel!"
The blind appetite/desire
impels/precipitates so many,
that so as to attain a nothing (something trivial)
they sacrifice all!

Felix María Samaniego

48. Los Guantes

I

Juan y Pedro, hijos de un comerciante modestísimo, se dedicáron desde pequeños á la misma profesión que su padre; pero con tan diversa fortuna los dos, que mientras Juan lo realizaba todo á medida de su deseo, Pedro no hacía cosa que le saliera á derechas.

Se quejába de su picara suerte y envidiaba la de su hermano, achacando sólo á la buena estrella de éste los excelentes negocios que hacía.

Un día, condolido al fin Juan de la constante desdicha de Pedro, le dijo así:

— Pienso emprender un largo viaje para poner en planta un negocio que considero segurísimo. Como no soy egoísta, y deseo tu bien tanto como el mío, voy á darte una participación.

— Gracias, querido hermano: eso era lo que yo ambicionaba, estar á tu lado y disfrutar así de tu buena suerte.

— Eso no, de ninguna manera. Nuestros caracteres no armonizan: yo estoy siempre alegre y satisfecho, tu triste y cariacontecido; yo bendigo á todas horas mi estrella, tú maldices sin cesar de la tuya. Reñiríamos y se llevaría el diablo nuestro negocio. Vamos á hacerlo á la par, en idénticas condiciones, pero separándonos

De esta manera, si por desgracia ganas menos que yo, no tendrás derecho á quejarte.

— Estoy conforme: hagámoslo como quieras. Explícame de qué se trata.

—Escucha. Ya sabes que la fábrica de guantes de Dedil y Compañía se ha cerrado.

— Ya lo sé.

— Los géneros que tiene son muchos y buenos, los venden por ínfimo precio, y he decidido comprarlos. Tan baratos los ofrecen, que aun siendo muy costoso el viaje que hemos de hacer para venderlos, considero el negocio de pingües resultados.

48. The Gloves

I

Juan and Pedro, sons of a very modest merchant, devoted themselves from childhood to the same profession as their father; but with such different fortunes the two, that whilst Juan achieved everything according (lit: to the measure of) to his desire. Pedro did not do anything that might come out right for him.

He complained of his wretched luck and envied that of his brother, attributing only to the good star of the latter the excellent business deals that he made.

One day Juan, feeling sorry at last for the constant misfortune of Pedro, said to him:

"I am thinking of undertaking a long journey in order to put in place a business that I consider very secure. As I am not selfish and I desire your well-being as much as mine, I am going to give you a share."

"Thank you, dear brother: this is what I longed for, to be by your side and so to enjoy your good luck."

"This no, by no means. Our characters do not harmonize; I am always happy and satisfied, you sad and crestfallen; I bless my star at all hours, you curse yours without ceasing. We would quarrel and our business would go to the devil. We are going to do it in halves, in identical conditions, but separating ourselves.

In this manner, if by misfortune you earn less than I, you will not have the right to complain."

" I am in agreement; we do it as you may want. Tell me what it is about."

"Listen. Now you know that the glove factory of Dedil y Compañía has closed."

"Indeed I know it."

"The products/merchandise that it has are many and good, they are selling them for a very low price, and I have decided to buy them. They are offering them so cheap, that even being very costly the journey we have to make in order to sell them, I consider the business very profitable (of lucrative results)."

II

Pocos días después los dos hermanos se despedían, embarcándose con rumbo distinto y citándose para una fecha fija en su casa, á donde volverían ambos para comunicarse el resultado de su aventura comercial.

Las dos poblaciones elegidas para realizarla eran de iguales condiciones, y en las dos se verificaban grandes fiestas en la misma época, la más adecuada para la venta de los guantes.

Juan, sonriente y lleno de esperanzas, abrazó á Pedro. Éste, triste y sombrío como siempre, devolvió el abrazo á su hermano.

— ¡ Ganaremos mucho dinero, no lo dudes !

— ¡ Quiéralo Dios !

Y se separaron, Juan mirando el cielo azul, purísimo, que presagiaba una feliz navegación. Sólo una nubecilla obscura se destacaba en el horizonte. Era el único punto en que fijaba Pedro sus ojos.

III

Á pesar de sus zozobras, que duraron tanto como la travesía, Pedro desembarcó sin novedad, y halló la población ardiendo en fiestas. El gentío era inmenso, la animación extraordinaria, y todo hacía suponer que los comerciantes venderían tanto como pudieran desear.

Pedro se animó algo con el general regocijo; alquiló una tienda, después de observar con gozo que no había en toda la población guantería alguna, y se dispuso á abrir los grandes cajones en que su mercancía estaba encerrada.

Abrió el primero y se quedó aterrado. ¡ Todos los guantes eran de la mano izquierda !

Todavía abrigó la esperanza de que los correspondientes á la mano derecha estarían en los otros cajones; pero al abrir éstos con febril impaciencia, vio que su desventura era cierta é irremediable. Por un error difícil de explicar, habían colocado los guantes de la diestra en los cajones que Juan se llevó, y los de la siniestra en los de Pedro.

II

A few days afterwards the two brothers said goodbye, each embarking with a different route, and making an appointment for a fixed date in his house, where both would return in order to report/communicate the result of their commercial adventure.

The two towns chosen in order to achieve it were of equal conditions, and in the two were taking place big festivals at the same time, most suitable for the sale of gloves.

Juan, smiling and full of hope, hugged Pedro. The latter, sad and sombre as always, returned the hug to his brother.

"We will earn much money, do not doubt it!"
"May God will it!"

And they separated, Juan looking at the pure blue sky that presaged a happy voyage. Only a little dark cloud stood out on the horizon. It was the only point on which Pedro fastened his eyes.

III

In spite of his anxieties, that lasted as long as the crossing, Pedro disembarked without troubles (surprises) and found the town ablaze with celebrations. The crowd was immense, the animation extraordinary, and everything gave the impression that the merchants would sell as much as they might be able to desire.

Pedro brightened up somewhat with the general happiness; he rented a shop, after observing with pleasure that there was not a glove shop in all the town, and he prepared himself to open the big boxes in which his merchandise was locked up.

He opened the first and became aghast. All the gloves were of the left hand!

Still he harboured the hope that the ones corresponding to the right hand would be in the other boxes; but on opening these with feverish impatience, he saw that his misfortune was certain and irremediable. By an error difficult to explain, they had placed the gloves of the right in the boxes that Juan took, and those of the left in those of Pedro.

177

— ¡Ay! — exclamaba éste en el colmo de la desesperación, — yo tengo la culpa, yo soy responsable de la desgracia de mi pobre hermano, víctima de esta equivocación incomprensible. Yo le hice partícipe de mi mala suerte por el solo hecho de realizar con él un negocio á medias. Ahora se convencerá de lo funesto de mi estrella y de que me quejo con razón. Pero siempre, siempre y en todo he de ser más desgraciado que él: á mí me han tocado los guantes de la mano izquierda, la de la mala suerte.

Y hondamente preocupado con su desdicha, cayó enfermo, y en los delirios de la fiebre veía que los guantes, inflados y vagando por el aire, venían á darle bofetadas.

De milagro sanó, y convaleciente ya, pero muy débil todavía, se embarcó de nuevo, con rumbo á su país, á donde iba á llegar pobre y desesperado, para encontrar allí seguramente tan desesperado y pobre como él, á su hermano Juan.

IV

Figúrese el lector la sorpresa de Pedro cuando al entrar en su casa vio que Juan, sonriente y con los brazos abiertos, salía á recibirle.

— Hermano mío, bien venido seas: al ver tu tardanza en regresar, temí que hubieras muerto.

— ¡ Ay, Juan ! Bien poco me ha faltado para morir. Y tú, ¿cómo estás?

— Muy bien, muy bien y contentísimo.

— ¡ Es posible ! Á pesar de la desgracia . . .

— ¿ Qué desgracia ?

— La de los guantes.

— ¡ Ah ! Sí, ¿ la equivocación ? Pero eso no ha sido una desgracia.

— ¿ Cómo ?

— Al menos para mí.

— No salgo de mi asombro: ¿los has vendido?

— Todos. ¿Y tú?

— Yo, ninguno. Ahí los traigo, para unirlos con los tuyos y venderlos juntos en otra ocasión.

"Oh!" exclaimed the latter in the height of his despair; "I am to blame, I am responsible for the misfortune of my poor brother, victim of this incomprehensible mistake. I made him a partner in my bad luck by the single fact of carrying on with him a sharing business (half and half). Now he will be convinced of the ill-fate of my star, and of which, with reason, I complain. But always, always and in everything, I have to be more unlucky than he; the gloves of the left hand, that of bad luck, have come to (touched) me."

And deeply worried with his misfortune, he fell ill, and in the delirium of the fever he saw that the gloves, inflated and roaming through the air, came to give him slaps in the face.

By a miracle he got well, and now convalescent, but still very weak, he embarked again, on route to his country, where he was going to arrive poor and desperate, in order to find there, surely as desperate and poor as him, his brother Juan.

IV
The reader may imagine the surprise of Pedro when on entering his house he saw that Juan, smiling and with his arms open, came out to receive him.

"My brother, you are welcome; on seeing your delay in returning, I feared that you might have died."

"Ah, Juan! Precious little have I lacked in order to die (I came very close to dying). And you, how are you?"

"Very well, very well and happy."

"Is it possible! In spite of the misfortune..."

"What misfortune?"

"That of the gloves."

"Ah! Yes, the mistake? But this has not been a misfortune."

"How?"

"At least for me."

"I cannot get over my surprise: you have sold them?

"All. And you?"

"I, none. Here I bring them, in order to unite them with yours and sell them together on another occasion."

— Ya no es posible, porque yo los despaché todos.

— Eso es el colmo de la suerte. ¿ Me negarás ahora que eres el niño mimado de la fortuna? Por lo visto, ¿el país á donde fuiste es tierra de mancos?

— ¡ Necio ! Yo sí que no soy manco, y por eso, sin arredrarme ante las contrariedades, sé vencerlas y hasta aprovecharlas.

— Explícame lo sucedido.

V

— Llegué al término de mi viaje y me dispuse á la venta de la mercancía, cuando al notar la inesperada equivocación, me quedé atónito.

— Como yo.

— Tenía hechos todos los gastos para el comercio y alquilada la tienda . . .

— Como yo.

— ¿Qué hacer? Al pronto creí que mi desdicha no tenía remedio.

— Como yo.

— Pero comprendiendo que, si no lo tenía, era inútil desesperarse, me acosté y dormí.

— Yo me acosté y no pude cerrar los ojos.

— Á la mañana siguiente desperté con una idea luminosa: la almohada, como siempre, había sido mi gran consejera. Aquella misma tarde, en todas las esquinas de las calles de la población se hallaban pegados grandes anuncios que decían lo siguiente:

GUANTERO DE PARÍS

¡GRAN NOVEDAD ! ¡ÚLTIMA MODA !

¡GUANTES PARA LA MANO DERECHA!

— ¿Y qué?

"Indeed it is not possible, because I disposed of them all."

"This is the height of (good) luck. Will you deny to me now that you are the pampered child of fortune? Evidently the country to which you went is a land of one-handed persons?"

"Silly! I certainly am not one handed, and accordingly, without being daunted by the setbacks, I know how to overcome them and even to take advantage of them"

"Explain to me what happened."

V

"I arrived at the end of my journey and I prepared myself for the sale of the merchandise/goods, when on noticing the unexpected mistake, I was left astounded."

"Like me."

"I had made (incurred) all the expenditure for the business and the shop rented ..."

"Like me."

"What to do? At first I believed that my misfortune did not have a remedy."

"Like me."

"But understanding that, if it did not have one, it was useless to despair, I went to bed and slept."

"I went to bed and was not able to close my eyes."

"On the following morning I awoke with a bright idea: the pillow, as always, had been my great advisor. That same afternoon, on all the corners of the streets of the town big advertisements were found stuck up that said the following:

GLOVE-MAKER FROM PARIS.

GREAT NOVELTY!   THE LATEST FASHION!

GLOVES FOR THE RIGHT HAND!

"Well?"

181

— Que la gente acudió al reclamo, que la novedad fué bien acogida, como procedente de París, y que pocos días después no me quedaba un solo guante. Cada uno de los vendidos me valió algo más de lo que me habrían dado por cada par completo.

Se quedó Pedro silencioso, y cuando Juan, halagado en su amor propio, creía que su hermano admiraba en silencio el ingenio comercial, dijo así:
— Está visto: tienes una suerte fabulosa.
Como todos aquellos incapaces de inventar nada, Pedro atribuía á la suerte lo que era producto del talento.

49. El Arco-Iris.

La ronca tempestad con voz de trueno
Anuncia al mundo destrucción y ruina ;
El viento abate la soberbia encina ;
El rayo rasga de la nube el seno.

Muéstrase el Iris de hermosura lleno :
La tempestad se ahuyenta repentina :
Se despejan el cielo y la colina,
Y el mar ostenta su esplendor sereno.

Cuando la duda asalta nuestra mente,
Cuando el dolor el pecho nos devora,
Nos envía el Señor Omnipotente
Un rayo de la fe consoladora,
Que presto infunde al corazón doliente
Dulce creencia y calma bienhechora.

Marcos Arróniz

"So the people came to the attraction/lure, the novelty was well received, as coming from Paris, and a few days later not a single glove remained with me. Each one of those sold was worth to me somewhat more than they would have given me for each pair complete."

Pedro remained silent, and when Juan, flattered in his self-esteem, believed that his brother admired in silence the commercial ingenuity, he said:

"It is evident (lit: seen): you have fabulous luck."

Like all those incapable of inventing anything, Pedro attributed to luck that which was the product of talent.

49. The Rainbow

The roaring storm/tempest with voice of thunder
Announces to the world destruction and ruin;
The wind overthrows the proud evergreen-oak;
The lightning tears the breast/heart from the cloud.

The rainbow shows itself full of beauty;
The storm is chased away suddenly;
The sky and the hill become clear,
And the sea shows off its serene splendour.

When the doubt assaults our mind,
When the pain/sorrow devours our breast,
The Almighty Lord sends us
A ray of consoling faith,
That swiftly instils/pours into the aching heart
A sweet belief and generous calm.

Marcos Arróniz.

50. La Portería Del Cielo

El tío Paciencia era un pobre zapatero que vivía y trabajaba en un portal de Madrid. Cuando era aprendiz asistía un día a una conversación entre su maestro y un parroquiano, en la cual éste mantenía que todos los hombres eran iguales. Después de pensar largo rato, el aprendiz al fin preguntó al maestro, si era verdad lo que había oído decir.

—No lo creas,—repuso éste.—Sólo en el cielo son iguales los hombres.

Se acordaba de esta máxima toda su vida, consolándose de sus penas y privaciones con la esperanza de ir al cielo, y gozar allá de la igualdad que nunca encontraba en la tierra. En toda adversidad solía decir:—Paciencia, en el cielo seremos todos iguales.—A esto se debía el apodo con que era conocido, y todos ignoraban su verdadero nombre.

En el piso principal de la casa, cuyo portal ocupaba el pobre zapatero, vivía un marqués muy rico, bueno y caritativo. Cada vez que este señor salía, decía para sí el tío Paciencia:

—Cuando encuentre a vuestra excelencia en el cielo, le diré: 'Amiguito, aquí todos somos iguales'. Pero no era sólo el marqués el que le hacía sentir que en la tierra no fuesen iguales todos los hombres, pues hasta sus amigos más íntimos pretendían diferenciarse de él. Estos amigos eran el tío Mamerto y el tío Macario.

Mamerto tenía una afición bárbara por los toros; y una vez, cuando se estableció una escuela de tauromaquia, estuvo a punto de ser nombrado profesor. Este precedente le hacía considerarse superior al tío Paciencia, quien reconocía esta superioridad y se consolaba con la máxima sabida.

Macario era muy feo; pero, no obstante, se había casado con una muchacha muy guapa. Por razones que ignoramos había salido muy mal este matrimonio, y cuando al cabo de veinte años de peloteras murió la mujer, el buen hombre se quedó como en la gloria.

50. The Gatehouse of Heaven

Old (also: uncle/bloke) Patience was a poor shoemaker who lived and worked in a portal (doorway entrance) in Madrid. When he was an apprentice, he was present one day at a conversation between his master and a customer, in which the latter maintained that all men were equal. After thinking a long while, the apprentice finally asked the master if it was true what he had heard say.

"Don't you believe it," replied he. "Only in heaven are men equal."

He remembered this maxim all his life, consoling himself for his troubles and privations with the hope of going to heaven, and enjoying there the equality that he never found on the earth. In all adversity he used to say: "Patience, in heaven we will all be equals." To this was owed the nickname by which he was known, and all were ignorant of his true name.

On the main floor of the house, whose portal the poor shoemaker occupied, lived a Marques, very rich, good and charitable. Each time that this gentleman went out, Old Patience said to himself:

'When I find your excellency in heaven, I will say to you: ---Little friend, here we are all equal'.-- But it was not only the Marques who made him feel that on earth all men might not be equal, for even his most intimate friends attempted to distinguish themselves from him. These friends were Old Mamerto and Old Macario.

Mamerto had a frightful fondness for bulls; and once, when a school for bullfighting was established, he was on the point of being appointed as teacher. This precedent made him consider himself superior to Old Patience, who recognised this superiority and consoled himself with the well-known maxim.

Macario was very ugly; but nevertheless, he had married a very beautiful girl. For reasons which we do not know, this marriage had ended up badly, and when at the end of twenty years of quarrels the woman died, the good man was (remained) as though in heaven.

Pero poco tiempo después se encalabrinó con otra muchacha muy linda también, y se casó otra vez a pesar de las protestas del tío Paciencia, que consideraba esto una enorme tontería. Como el tío Paciencia nunca había conseguido que las mujeres le amasen, mientras habían amado a pares al tío Macario, éste creía tener cierta superioridad sobre su amigo. El tío Paciencia la reconocía y se consolaba con la máxima que ya sabemos.

Un día cuando llovía a cántaros Mamerto quiso asistir a una corrida de toros. El tío Paciencia trató de quitárselo de la cabeza, pero en vano. Al volver a casa Mamerto fué obligado a meterse a la cama a causa de una fiebre, que al día siguiente se le llevó al otro mundo. Aquel mismo día estaba muy malo el tío Macario de resultas de un sofocón que le había aplicado su mujer. Gracias al tratamiento de su segunda mujer el pobre hombre no podía resistir grandes sustos, y la inesperada noticia de la muerte de su amigo le causó tal sobresalto que expiró casi al instante.

Extrañando que en todo el día no hubiese visto a sus dos amigos el tío Paciencia al anochecer fué a buscarlos. La terrible noticia de la muerte de los dos fué para él como un escopetazo, y aquella misma noche se fué tras sus amigos, tomando el camino del otro mundo.

A la mañana siguiente, el ayuda de cámara del marqués entró con el chocolate, y tuvo la imprudencia de decir a éste que el tío Paciencia del portal había muerto al saber que habían expirado casi de repente dos amigos suyos. Como el marqués era un señor muy aprensivo, y como por aquellos días se temía que hubiese cólera en Madrid, se asustó tanto que pocas horas después era cadáver, con gran sentimiento de los pobres del barrio.

El tío Paciencia emprendió el camino del cielo muy contento con la esperanza de gozar eternamente de la gloria, de vivir en el mundo donde todos los hombres eran iguales, de encontrar allí a sus queridos amigos Mamerto y Macario, y de esperar la llegada del marqués, para tener con él la anhelada conversación que ya se había repetido para sí mil veces durante su vida.

But a little time afterwards he became infatuated with another young-girl, very pretty also, and he married again in spite of the protests of Old Patience, who considered this an enormous folly. As Old Patience had never succeeded in making women love him (never managed that women should love him), whilst they had loved Old Macario in pairs, the latter believed himself to have a certain superiority over his friend. Old Patience recognised it and consoled himself with the maxim that we now know.

One day when it was raining jugs (i.e. in torrents) Mamerto wanted to attend a bull fight. Old Patience tried to get it out of his head, but in vain. On returning home Mamerto was obliged to put himself in bed on account of a fever, that on the next day took him to the other world. That same day Old Macario was very ill/bad as a result of an annoyance that his wife had given (applied) to him. Thanks to the treatment by his second wife the poor man was not able to resist big frights, and the unexpected death of his friend caused him such a violent-shock that he expired almost instantly.

Wondering that in all the day he had not seen his two friends, on night falling Old Patience went to look for them. The terrible news of the death of the two was for him like a gunshot, and that same night he went after his friends, taking the road to the other world.

On the morning following, the Marques' valet entered with the chocolate, and had the imprudence to tell the latter that Old Patience of the portal had died on knowing that two of his friends had died all of a sudden. As the Marques was a very apprehensive gentleman, and as in those days it was feared that there might be cholera in Madrid, he was frightened so much that a few hours afterwards he was a corpse, to the great sorrow of the poor of the district.

Old Patience undertook the road to heaven very happy with the hope of enjoying heaven eternally, of living in the world where all men were equals, of finding there his dear friends, Mamerto and Macario, and of awaiting the arrival of the Marques, in order to have with him the longed-for conversation that indeed he had repeated to himself a thousand times during his life.

En cuanto a Mamerto no dejaba de tener unas dudillas, porque se acordó de que éste durante la vida había dicho más de una vez:

—Por una corrida de toros dejo yo la gloria eterna.

Fué interrumpido en estas reflexiones el tío Paciencia viendo venir del cielo un hombre que daba muestras de la mayor desesperación. Se detuvo pasmado al reconocer a su amigo.

—¿Qué te pasa, hombre?—preguntó al tío Mamerto.

—¿Qué diablo me ha de pasar? Me han cerrado para siempre las puertas del cielo.

—Pero ¿cómo ha sido eso, hombre? Habrá sido por tu pícara afición a los toros.

—Algo ha habido de eso. Escucha. Llegué a la portería del cielo y encontré allí un gran número de personas que aguardaban para entregar el pasaporte para el otro mundo. El portero que revisaba los papeles gastaba mucho tiempo con preguntas y respuestas antes de permitir la entrada. Al oír que rehusó la entrada a un pobre diablo por haber sido demasiado aficionado a los toros, comprendí que ya no había esperanza para mí. Entonces me mezclé entre la gente, aguardando una ocasión para colarme dentro sin que me viera el portero. A los pocos momentos da éste una media vuelta, y ¡zas! me cuelo en el cielo. Daba yo ya las gracias a Dios por haberlo hecho, porque dentro estaba uno como en la gloria. De repente le da la gana al portero de contar los que estaban en la portería, y nota que le falta uno.

—Uno me falta,—grita, hecho un solimán.—Y apuesto una oreja a que es ese madrileño.—Entonces veo que llama a unos músicos que había, alrededor de Santa Cecilia, y ellos pasan a la portería. Algunos minutos más tarde oigo que tocan 'salida de toros', y yo, bruto de mí, olvidando todo y creyendo que hay corrida de toros, salgo como una saeta a verla. El portero, soltando la carcajada, me dió con la puerta en los hocicos, diciéndome:—Vaya Vd. al infierno, que afición a los toros como la de Vd. no tiene perdón de Dios.

With regard to Mamerto he did not cease to have some little doubts, because he remembered that during his life the latter had said more than once:

"For a bullfight I lose/give-up the eternal glory."

Old Patience was interrupted in these reflections seeing come from heaven a man who was giving signs of greatest despair. He stopped astonished on recognising his friend.

"What's going on with you, man?" he asked Old Mamerto.

"What the devil has to go on with me? They have closed the gates of heaven to me forever."

"But how has this been, man? It will have been for your wicked fondness for bulls."

"There has been something of this. Listen. I arrived at the main-gate of heaven and I found there a great number of people who were waiting in order to hand over the passport for the other world. The doorkeeper who was examining the papers spent a lot of time with questions and answers before permitting the entry. On hearing that he refused entry to a poor devil for having been too fond of the bulls, I understood that indeed there was no hope for me. Then I mixed among the people, awaiting an occasion in order to slip myself in without the doorkeeper seeing me (without that the doorkeeper should see me). After a few moments, he makes a half turn, and wham! I slip into heaven. I gave thanks to God for having done it, because inside one was as in glory/bliss. Suddenly it pleased the doorkeeper to count those that were in the entrance gate, and he notes he is missing one.

'I am missing one,' he shouts, made angry (solimán also= corrosive substance). 'And I bet an ear that it is that Madrileño.' Then I see that he calls some musicians that there were, around Saint Cecilia (the patron saint of musicians) and they pass into the gatehouse. Some minutes later I hear that they are playing 'the coming out of the bulls', and I, brute that I am, and forgetting everything and believing that there is a bullfight, come out like an arrow to see it. The doorkeeper letting out a great-laugh, slammed the door in my nose, telling me: "Go to hell, because a fondness for bulls like yours does not have God's pardon."

Ambos continuaron su camino; el tío Paciencia el del cielo, que era cuesta arriba, y el tío Mamerto el del infierno, que era cuesta abajo.

No había andado largo rato cuando tropezó con el tío Macario, que venía también del cielo y marchaba con la cabeza baja. Los dos amigos se abrazaron.

—¿Tú por aquí, Paciencia?—dijo el tío Macario.—¿Adonde vas?

—¿Adonde he de ir? Al cielo.

—Difícil será que entres.

—¿Porqué?

—Porque es muy difícil entrar allí.

—¿Y cuál es la dificultad?

—Escucha, y verás. Llegamos, otro y yo, a la puerta, llamamos, y sale el portero.—¿Qué quieren Vds.? nos pregunta.— ¿Qué hemos de querer sino entrar?—contestamos.—¿Es Vd. casado o soltero?—pregunta el portero a mi camarada.—Casado, contesta él.—Pues pase Vd., que basta ya esta penitencia para ganar el cielo, por gordos que sean los pecados que se hayan cometido.—Estuve yo para colarme dentro detrás de mi compañero, pero el portero, deteniéndome por la oreja, me pregunta:—¿Es Vd. casado o soltero?—Casado, dos veces.—¿Dos veces?—Sí, señor, dos veces.—Pues vaya Vd. al limbo, que en el cielo no entran tontos como Vd.

Cada uno seguía su camino. Al fin el tío Paciencia divisó las puertas del cielo, y se estremeció de alegría, considerando que estaba ya a medio kilómetro del mundo donde todos los hombres eran iguales. Cuando llegó a la portería vió que no había en ella un alma. Fué a la puerta y dió un aldabazo muy moderado. Apareció en un ventanillo al lado de la puerta el portero que preguntó:—¿Qué quiere Vd.?

—Buenos días, señor—contestó el tío Paciencia con la mayor humildad, quitándose el sombrero—quisiera entrar en el cielo, donde, según he oído decir, todos los hombres son iguales.

—Siéntese Vd. en ese banco, y espere a que venga más gente. No vale la pena el abrir esta pesada puerta por un solo individuo.

Both continued on their path; Old Patience the one to heaven, that was up hill, and Old Mamerto the one to hell, that was downhill.

He had not walked for a long while when he bumped into Old Macario, who also came from heaven and walked with his head down. The two friends embraced.

"You here, Patience?" said Old Macario. "Where are you going?"

"Where have I to go? To heaven."

"It will be difficult for you to enter."

"Why?"

"Because it is very difficult to enter there."

"And what is the difficulty?"

"Listen and you will see. We arrive, another and I, at the gate, we knock/call and the doorkeeper comes out. 'What do you want?' he asks us. 'What have we to want but to enter?' we reply. 'Are you married or a bachelor?' the doorkeeper asks my companion. 'Married' he replies. 'Well go on, that penance is indeed enough in order to gain heaven, however heavy/serious are the sins that may have been committed.' I was about to slip inside after my companion, but the doorkeeper, detaining/holding me back by the ear, asked me: 'Are you married or bachelor?' 'Married, two times.' 'Two times?' 'Yes sir, two times'. 'Well go to limbo, for idiots like you do not enter into heaven."

Each one continued on his way. At last Old Patience caught sight of the gates of heaven, and he trembled with happiness, thinking that he was now half a kilometre of the world where all men were equal. When he arrived at the entrance gate he saw that there was not a soul in it. He went to the gate and gave a very moderate loud knock. In a little window to the side of the gate the doorkeeper appeared, who asked: "What do you want."

"Good day, señor,' replied Old Patience with the greatest humility, removing his hat, "I should like to enter into heaven, where according to what I have heard tell, all men are equal."

"Sit on that bench, and wait until more people come. It is not worth the trouble of opening this heavy gate for a single individual."

El portero cerró el ventanillo, y el tío Paciencia se sentó en el banco. No estuvo allí mucho tiempo cuando oyó un escandaloso aldabazo. Dirigiendo los ojos en la dirección del ruido Paciencia reconoció a su vecino, el marqués. Al mismo tiempo se oyó, desde adentro, el portero que gritó con voz de trueno:—¡Hola! ¡Hola! ¿Quién es este bárbaro que está derribando la puerta?"

—El excelentísimo señor marqués de la Pelusilla, grande de España de primera clase, caballero de las órdenes de Alcántara, de Calatrava, de Montesa y de la Toisón, senador del reino, etc.

Al oír esto el portero abrió de par en par la puerta, quebrándose el espinazo a fuerza de reverencias y exclamando:

—Ilustrísima vuestra excelencia, tenga Vd. la bondad de perdonarme si le he hecho esperar un poco, que yo ignoraba que era Vd. Ya hemos recibido noticia de la llegada de su excelencia. Pase, vuestra excelencia, señor marqués, y verá que todo se ha preparado para el recibimiento del caballero más ilustre, piadoso, distinguido y rico de España.

En el centro del cielo se veía la orquesta celeste de ángeles bajo la dirección del arcángel Gabriel. Detrás de ellos estaba colocado un coro de vírgenes todas vestidas de blanco y con coronas de flores. Al lado izquierdo se hallaba un órgano teniendo cañones de oro, delante del cual estaba sentada la Santa Cecilia. Al lado derecho estaba el rey David con una arpa de oro. En una plataforma estaban los célebres músicos que habían destrozado las murallas de Jericó, hace ya muchos siglos.

Al primer paso que dió el marqués entonaron éstos una fanfarria que demostraba claramente que no había desmejorado su arte. Casi al mismo instante, luego que el marqués hubo atravesado el umbral, fue cerrada la puerta, y el pobre tío Paciencia no pudo ver nada más. Pero oía harmonías tales como jamás había oído en la tierra.

El tío Paciencia se quedó en su banco cavilando y ponderando todo lo que acababa de ver y oír.

The doorkeeper closed the little window, and Old Patience sat down on the bench. He was not there much time when he heard a furious loud-knocking. Directing his eyes in the direction of the noise Patience recognised his neighbour, the Marques. At the same time he heard, from within, the doorkeeper who shouted with a voice of thunder: "Hello, Hello! Who is this barbarian who is breaking down the gate?"

"The most excellent señor Marques of Pelusilla, grandee of the first class of Spain, gentleman of the orders of Alcántara, of Calatrava, of Montesa and of Toisón, senator of the kingdom, etc."

On hearing this the doorkeeper opened wide the gate, breaking his spine at the force of his reverences/bows and exclaiming:

"Most illustrious, your excellency, have the goodness to pardon me if I have made you wait a little, but I did not know that it was you. Indeed we have received notice of the arrival of your excellency. Pass on, your excellency, señor Marques, and you will see that all has been prepared for the reception of the gentleman most illustrious, pious, distinguished and rich of Spain."

In the centre of heaven was seen the celestial orchestra of angels under the direction of archangel Gabriel. Behind them was placed a choir of virgins all dressed in white and with crowns of flowers. On the left side was found an organ having pipes of gold, in front of which was seated Saint Cecilia. On the right side was king David with a harp of gold. On a platform were the celebrated/famous musicians that had destroyed the walls of Jericho, many centuries ago now.

On the first step that the Marques took these intoned/sounded a fanfare that demonstrated clearly that their art had not deteriorated. Almost at the same instant, as soon as the Marques had crossed the threshold, the gate was closed, and the poor Old Patience was unable to see anything more. But he heard harmonies such as he had never heard on earth.

Old Patience remained on his bench meditating and pondering all that he had just finished seeing and hearing.

—He pasado toda mi vida sufriendo con santa paciencia todos los trabajos y humillaciones de la tierra, creyendo que en el cielo todos los hombres serían iguales. ¿Y qué me sucede? Aquí, a la puerta del cielo he de presenciar la prueba más irritante de desigualdad.

La abierta del ventanillo sacó al tío Paciencia de sus cavilaciones.—¡Calla!—exclamó el portero, reparando en el tío Paciencia.—¿Qué hace Vd. ahí, hombre?

—Señor,— contestó humildemente éste, —estaba esperando...

—¿Porqué no ha llamado Vd., santo varón?

—Ya ve Vd., como uno es un pobre zapatero...

—¡Qué habla Vd. de pobre zapatero, hombre! En el cielo todos los hombres son iguales.

—¿De veras?—exclamó el tío Paciencia, dando un salto de alegría.

—Y muy de veras. Categorías, clases, grados, órdenes, todo eso se queda para la tierra. Pase Vd. adentro.

El portero abrió, no toda la puerta como cuando entró el marqués, sino lo justo para que pudiera entrar un hombre. Entró el tío Paciencia, y se detuvo sorprendido. No había ni orquesta ni coro ni músicos. El portero, que adivinó la causa de esta penosa extrañeza, se apresuró a desvanecerla.

—¿Qué es eso, hombre, que se ha quedado Vd. como imagen de piedra?

—¿No me ha dicho Vd. que en el cielo todos los hombres son iguales?

—Sí, señor, y he dicho la verdad.

—Y entonces, como el marqués...

—¡Hombre! no hable Vd. disparates. ¿No ha leído Vd. en la Sagrada Escritura que más fácil es que entre un camello por el ojo de una aguja que un rico en el cielo? Zapateros, sastres, herreros, labradores, mendigos, majaderos, tunantes; éstos llegan aquí a todas horas, y no tenemos por novedad su llegada. Pero se pasan siglos enteros sin que veamos a un señor como el que ha llegado hoy. En tal caso es preciso que echemos la casa por la ventana.

"I have passed all my life suffering with holy patience all the works and humiliations of the earth, believing that in heaven all men would be equal. And what happens to me? Here at the gate of heaven I have to witness the most irritating proof of inequality."

The opening of the little window took Old Patience out of his meditations. "Quiet!" exclaimed the doorkeeper, paying heed to Old Patience. "What are you doing there, man?"

"Señor," the latter replied humbly, "I was waiting....."

"Why have you not called, saintly man?"

"Indeed, you see, as one is a poor shoemaker..."

"What are you talking about poor shoemaker, man! In heaven all men are equal."

"Truly?" exclaimed Old Patience, giving a leap of happiness.

"Very truly. Categories, classes, grades, orders, all that remains on earth. Go on inside."

The doorkeeper opened, not all the gate as when the marques entered, but just enough in order that a man should be able to enter. Old Patience entered, and he stopped surprised. There was neither orchestra no choir nor musicians. The doorkeeper who guessed the cause of this painful surprise, hurried to dispel it.

"What is this, man, that you have become like the image of stone?"

" Have you not told me that in heaven all men are equal?"

"Yes, señor, and I have told the truth."

"Then, as the Marques...."

"Man! Do not talk nonsense. Have you not read in the Holy Scripture that it is easier that a camel should enter through the eye of a needle than a rich man into heaven? Shoemakers, tailors, blacksmiths, farm-labourers, beggars, simpletons, rogues; these arrive here at all hours, and we do not regard their arrival as a novelty. But entire centuries pass without us seeing (without that we may see) a gentleman like the one that has arrived today. With such an event it is necessary that we should spare no expense. (lit: throw the house through the window).

Mastering Spanish with the Method of Re-translation

There are a number of different ways in which you can improve your Spanish with this book. You can read the English and then the Spanish version one after the other, steadily gaining in confidence and understanding of the Spanish as you do so. You can switch from one version to the other whenever you are uncertain as to a point; or you might concentrate on the Spanish version and try to grasp the meaning of the whole before turning to the English translation to check your attempt.

One particularly recommended method of developing your Spanish with this book is that of Re-Translation.

The Method Re-Translation
This is a way of learning foreign languages that has been found to be very successful. Briefly what you do is to take a text in the target foreign language, attempt to translate it into English, compare the attempt with a reliable English translation, and then try to translate the English back into the original foreign language version. Then you compare your attempted translation into the foreign language with the original foreign text. You note and correct any errors. The method is dynamic because it obliges you to use the foreign language as you return to the foreign text from the English and not just to read passively.

.

It will be evident that an English translation which is just an approximation, or which merely gives an idea or the spirit of what the foreign text is about would be of much less use to the student. For example, if there are unnecessary changes the verb tenses, or in the order of clauses or phrases, or if there are additional intrusive words added by the translator, or words left out, then the student is going to be in difficulties. With a poor translation (as regrettably is often the case with a translation which is simply literary) it may not be possible to check the translation attempt from one language against the other to see if it is correct.

The object with the English translations provided with this book has been throughout to avoid such literary translations and to provide a very close translation even at the expense sometimes having English that may be a little strained. Where the Spanish text uses a word for which there is a similar word (with much the same meaning in English) that word has generally been provided, for the translation or sometimes shown as an alternative alongside.

A further essential point with Re-Translation is that the student when in doubt, should immediately be able to check to see whether an attempted translation either way, but especially into the foreign language, is correct. It will not be helpful to learning the foreign language if an incorrect translation has been in the mind for a while, because this will be reinforcing errors in the memory. But of course, an immediate check can easily be achieved where there is a close translation and where the English and the foreign language face each other on the opposite pages of the book. Learning like this and being able, immediately, to check for errors against the reliable English translation and then checking the re-translation against the original foreign text is like having a speaker or teacher of the foreign language at your elbow to correct any errors

Suggestions for using the method of Re-Translation

1. Select a page from the intended text to be studied and if necessary read it briefly in English so that you know generally what is covered.

2. Read the Spanish text and see how far you can understand it. Where you are uncertain as to the meaning of a word or phrase pause a moment, and see whether you can work it out. Sometimes a short reflection will make the matter clear, and just thinking about the Spanish words will aid your memory of them for the future. If still uncertain then turn to the English version and see how it has been translated, before returning to the Spanish.

3. Repeat the reading of the Spanish text a few times before tackling the next stage.

4. You now reach the more challenging stage: the Re-Translation. Taking in turn each sentence in the English version, try to translate it back into the original Spanish. In part, you will be aided by your memory of what you have previously read in Spanish and this is very desirable, because it will assist you to learn intuitively with a natural flow based on usage.

5. After each attempted translation of a page into Spanish, re-read the Spanish again even if you feel confident that you got it right. In this way, you will avoid slipping into unnoticed and repeated errors. Moreover, you will more easily assimilate vocabulary and also start to establish Spanish speech patterns, due to the greater interaction with the Spanish version that you will experience.

6. Check, repeat and try again, but do not spend too long trying to become perfect. Move on to other pages, finish the book and return at a later date to repeat the procedure.

7. Whenever possible read the Spanish text aloud and also speak your re-translation into Spanish aloud. This is an aid to concentration and consequently to memory.

8 Writing down the translations can be an aid to concentration; but faster progress may be made just by speaking aloud as suggested.

Conclusion

I hope that you have enjoyed this book and that it has helped you to improve your Spanish. If so, please would you leave a positive review.

These are some of my other books:-

Dual Language Spanish Reader. Level: Beginner to Intermediate. Note: This book is based on similar principles to this First Spanish Reader, but it assumes that the student has reached just beyond beginner and is designed for the student who is progressing towards intermediate standard.

How to learn - Spanish - French - German - Arabic - any foreign language successfully. Explains the best ways to learn any foreign language well as quickly as possible.

How I Learned to Speak Spanish Fluently In Three Months Whilst still at school I had to learn Spanish in a very short time so that I could go on to higher education. I managed to achieve a good standard in Spanish in just three months and pass an essential exam. In this book I tell you just how I did it. You can copy what I did and learn Spanish quickly in the same way.

Spanish Verbs Wizard: Learn Spanish Verbs, Tenses, and Conjugations - Plus 101 Fully Conjugated Spanish Verbs - Plus The 1001 Most Useful Spanish Verbs. Everything you need to know to master the Spanish verb, together with the conjugations for all Spanish verbs.

How to transform your Memory and Brain Power: a complete course for memory development, fast learning skills and speed-reading. Yes, you really can improve your memory, develop enhanced mental skills and become able to learn faster and more easily. In this book, you will discover how to do it. Also, you will find out how memory experts develop their remarkable powers, and how you can do the same.

Peter Oakfield

Made in the USA
Las Vegas, NV
12 May 2022

48809567R00115